Diogenes Tas

Jakob Arjouni

Happy birthday, Türke!

*Ein
Kayankaya-
Roman*

Diogenes

Die Erstausgabe erschien 1985
im Buntbuch Verlag, Hamburg
Umschlagzeichnung von
Hans Traxler

Erster Tag

I

Es summte unerträglich. Immer wieder schlug meine Hand zu, doch sie zielte schlecht. Ohr, Nase, Mund – unerbittlich griff sie alles an. Ich drehte mich weg, drehte mich wieder zurück. Keine Chance. Mörderisch.

Endlich schlug ich die Augen auf und ortete die verdammte Fliege. Dick und schwarz saß sie auf der weißen Bettdecke. Ich zielte anständig und stand auf, um mir die Hand zu waschen. Den Spiegel mied ich. Ich ging in die Küche, setzte Wasser auf und suchte Filtertüten. Das lief noch eine Weile so, bis heißer Kaffee vor mir dampfte. Es war der elfte August neunzehnhundertdreiundachtzig, mein Geburtstag.

Die Sonne stand schon weit oben und blinzelte mir zu. Ich trank Kaffee, spuckte Satz auf die Küchenkacheln und versuchte, mich an den letzten Abend zu erinnern. Ich hatte mir eine Flasche Chivas geleistet, um den folgenden Tag in angemessener Weise einzuleiten. Das war sicher, denn die leere Flasche stand vor mir auf dem Tisch. Irgendwann war ich losgetrottet, um mir Gesellschaft zu suchen. Schließlich hatte ich einen Rentner gefunden. Er wohnt zusammen mit seinem Dackel im Stockwerk über mir. Ab und zu spiele ich ein paar Partien Backgammon mit ihm. Ich war ihm im Hausflur begegnet, als er gerade mit seinem Hund pinkeln gehen wollte.

»'n Abend, Herr Maier-Dietrich. Wie wärs mit 'ner

Stunde unter Männern, im Beisein einer Flasche Feuerwasser?«

Er willigte ein, und wir verabredeten uns für später.

»Passen Sie auf, daß niemand aus Versehen auf den Hund tritt«, rief ich ihm hinterher, aber er hatte es wahrscheinlich nicht mehr gehört.

Ich schaute mir ein Dutzend Tote im Fernsehen an und goß das erste Glas Chivas in die Leber. Dann klingelte Maier-Dietrich und hinkte in die Wohnung. Der Russe habe ihm das Bein gemopst, erzählt er mir oft, nicht ohne Witz.

Der Abend war verlaufen wie erwartet. Wir sprachen über Autos, die wir nicht bezahlen, und Frauen, die wir nicht beschlafen konnten. Er sowieso nicht mehr. Später klauten wir dem Gemüsehändler im Erdgeschoß noch zwei Flaschen Mariacron aus dem Keller und waren irgendwann danach bewußtlos in die Betten gefallen.

Ich schlürfte meinen Kaffee und starrte die leere Flasche an. Geburtstag. ›Na ja‹, dachte ich mir, ›wär schon schön, wenn irgend jemand mit Geschenk und Kuchen reinplatzen würde.‹ Mir fiel allerdings niemand ein. Herr Maier-Dietrich konnte aufgrund der letzten Nacht nur schlafen oder tot sein. Im übrigen kann er nicht backen und würde, die gemeinsame Nacht vergessend, mir wahrscheinlich die angebrochene Flasche Mariacron schenken.

Ich holte eine offene Büchse Heringssalat aus dem Kühlschrank und stocherte mißmutig drin herum. Die blaugrau schillernde Haut der Fischstücke glänzte im Sonnenlicht. Eine halbe Flosse lugte zwischen zwei Gurkenstückchen hervor.

Ich schmiß die Büchse in den Abfall, machte eine Flasche Bier auf und zündete mir eine Zigarette an.

Irgendwo pfiff ein Wasserkessel, und der Ton schnitt mein Hirn in Scheiben.

Dann klingelte das Telefon. Ich kroch hin und nahm ab.

»Heinzi, bist du es?« kreischte die Muschel. Ich heiße nicht Heinzi, möchte auch nicht so heißen, flötete aber ein fröhliches »Ja«.

»Heinzi, mein Heinzi, ich bin so wahnsinnig glücklich, deine Stimme zu hören. Ich habe gestern den ganzen Abend versucht, dich zu erreichen, aber du warst nicht zu Hause. Weißt du, was passiert ist?«

Ich wußte es nicht.

»Ich war beim Arzt, du weißt schon, und was glaubst du, hat er gesagt, Heinzi? Heinzi?!«

Noch einmal ermunterte ich sie mit einem erwartungsvollen »Ja«. Es funktionierte.

»Er hat gesagt, ich kriege ein Baby!«

Ich bekam Angst, sie würde mir durchs Telefon an den Hals springen.

»Ein Baby, Heinzi! Verstehst du?! Endlich hat es geklappt, wo wir es schon fast aufgegeben hatten! Heinzi, ich bin ja so glücklich, und siehst du, ich hatte doch recht, man muß es nur wirklich wollen!«

Ich überlegte, wie man diesen Heinzi warnen konnte.

»Heinzi, Liebling, sag doch was! Bitte!«

»Imbißkette McDonald's, Abteilung Fishburger und Apfeltaschen. Guten Tag.«

»Was? Ach, das bist du gar nicht? Entschuldigen Sie, falsch verbunden.«

Wir legten auf. Meine Ohren sausten noch, während ich, um langsam wach zu werden, unter der Dusche stand. Das Telefon klingelte noch zweimal. Heinzi mußte ihr eine falsche Nummer gegeben haben.

Rasiert und angezogen, schüttete ich den Rest Bier in die Spüle und verließ die Wohnung.

Im Briefkasten lag eine Aufforderung, Schweinekoteletts, Badeanzüge und Zahnpasta zu kaufen, und der Prospekt eines Bestattungsinstituts. Sonst nichts.

Ich kritzelte ein freundliches ›Guten Morgen‹ auf den Prospekt und schob ihn in den Briefkasten von Herrn Maier-Dietrich. Die Haustür flog auf. Herein stolperte der Gemüsehändler, bepackt mit Bananen. Statt eines Grußes murmelte er irgendwas von unnützem Gesocks, um dann schnell in seiner Wohnung zu verschwinden.

Ich zündete mir eine Zigarette an, trat auf den schwitzenden Asphalt hinaus und fand meinen grünen Kadett ein paar Häuser weiter im Halteverbot stehen. Ich hatte doch Post. Sie klebte unter dem Scheibenwischer. Die Hitze lag über der Stadt, und das Autoblech glühte. Nachdem ich mir fast die Finger verbrannt hatte, saß ich im Wagen. Es war eine Luft wie in der Sauna, wenn jemand seine dreckigen Socken liegengelassen hat.

Ich fuhr los und genoß den lauwarmen Fahrtwind. Es war elf Uhr, die Straßen lagen verlassen da; die Menschen vegetierten in ihren Büros vor sich hin oder lagen im Schwimmbad. Nur ein paar Hausfrauen schlichen mit Einkaufstüten über den Bürgersteig. Ich zwängte den Kadett in eine Lücke, zwei Straßen von meinem Büro entfernt.

Es liegt am Rand der Frankfurter Innenstadt, gut beschützt von einigen tausend Amerikanern, die nach dem Krieg dort ihre Wohnkartons hochgezogen haben. Stacheldrahtgerahmt zieht sich der grüne und gelbe Putz kilometerlang durch die Gegend, hin und wieder unterbrochen von schmierigen Hühner-Inns oder Hamburger-Depots.

Gegenüber dem Büro ist eine kleine Bäckerei. Ich ging hinein, um etwas zum Frühstück zu besorgen.

Hinter der Theke stand die dicke Tochter des Chefs, eine stattliche Reklame für den Teig ihres Vaters. Sie trug ein freizügig geschnittenes Kleid, und man sah, wie sich die beigen Riemen ihres Büstenhalters in die rosa Haut drückten. Ich wartete, bis eine ältere Dame Kuchen für mindestens hundert andere ältere Damen ausgesucht hatte und säuselte: »Was haben Sie denn so tortenmäßig anzubieten, Verehrte?« Es war immerhin Geburtstag.

»Sacherdort, Schwarzwälderdort, Rumdort, Brinsrechendedort un Sahnedort«, sabbelte sie munter, beugte sich dann vor zu mir und zischelte: »Die Rumdort hat de Baba versaut.«

Ich entschied mich für zwei Stück Sachertorte, holte noch eine Tüte Kaffee aus dem Regal, zahlte und zwinkerte ihr geheimnisvoll zu; über die Straße ging ich dann zum Haus Nummer dreiundsiebzig.

Mein Büro liegt im dritten Stock eines mittelgroßen, hellbraunen Betonhaufens. Ich schaute auch hier in den Briefkasten, aber wieder nichts. Flur und Treppe rochen nach Desinfektionsmittel. Aus der Zahnarztpraxis im zweiten Stock hörte man leises Wimmern. Ich schmiß den Briefkasten zu, kletterte die Treppe rauf und steckte den Schlüssel ins Loch der Eingangstür.

KEMAL KAYANKAYA
PRIVATERMITTLUNGEN

Privatdetektiv war ich seit drei Jahren. Türke von Geburt.

Mein Vater Tarik Kayankaya und meine Mutter Ülkü Kayankaya stammten beide aus Ankara. Meine Mutter starb neunzehnhundertsiebenundfünfzig bei meiner Geburt, sie war achtundzwanzig Jahre alt gewesen. Mein Vater, Schlosser von Beruf, entschied sich daraufhin ein Jahr später, nach Deutschland zu gehen. Krieg und Diktatur hatten seine Familie umgebracht; die Angehörigen meiner Mutter mochten ihn nicht, aus Gründen, die mir unbekannt blieben, so daß er mich mitnahm, weil er mich nirgendwo unterbringen konnte.

Er ging nach Frankfurt und arbeitete drei Jahre bei der Städtischen Müllabfuhr, bis ihn ein Postauto überfuhr. Ich kam in ein Heim, hatte Glück und wurde nach wenigen Wochen von dem Ehepaar Holzheim adoptiert. Ich erhielt die deutsche Staatsbürgerschaft. Es gab noch ein zweites adoptiertes Kind, meinen sogenannten Bruder Fritz. Fritz war damals fünf, also ein Jahr älter als ich. Max Holzheim arbeitete als Lehrer für Mathematik und Sport an einer Grundschule, Anneliese Holzheim betreute drei Tage in der Woche einen Kindergarten. Sie adoptierten aus Überzeugung.

Ich wuchs also in einer durch und durch deutschen Umgebung auf und begann erst spät, nach meinen richtigen Eltern zu forschen. Mit siebzehn fuhr ich in die Türkei, doch mehr, als ich durch die Heimakte schon wußte, habe ich über meine Familie nicht herausfinden können.

Ich machte ein durchschnittliches Abitur, fing an zu studieren, hörte wieder auf, verbrachte die Zeit hiermit und damit und bewarb mich vor drei Jahren um eine Lizenz für Privatermittlungen, die ich merkwürdigerweise auch erhielt. Manchmal macht der Job sogar Spaß.

Ich verfrachtete die Torte in den Kühlschrank. Er roch nach vergammeltem Tomatenmark. Dann zog ich den Rolladen hoch, öffnete das Fenster und hielt Ausschau nach reichen, gutaussehenden Klientinnen. Hitze und Licht strömten in mein Büro. Nachdem ich Kaffeewasser aufgesetzt hatte, lehnte ich mich wieder aufs Fensterbrett. Die Straße blieb leer. Nur ein fetter käsiger Cowboy joggte über das Pflaster. ›Herzlichen Glückwunsch‹, dachte ich mir und versuchte, in einen Hausschuh auf dem Balkon unter mir zu spucken. Noch eine Weile starrte ich auf die Schlappen. Dann schrillte der Wasserkessel. Ich goß Kaffee auf, kratzte Spaghetti-Reste von einem Teller, kramte die Torte aus dem Kühlschrank, wechselte den Fliegenfänger, zündete eine Kerze an und setzte mich schließlich an den Schreibtisch. Eine Wespe brummte herein, taumelte in immer enger werdenden Kreisen auf das Backwerk zu. Ich schnappte mir eine Zeitung und stand noch mitten im Kampfgeschehen, als es klingelte.

»Is offen«, brüllte ich und schlug die Wespe zu Matsch.

Die Tür ging langsam auf. Etwas Schwarzes schlich sich herein und musterte mit unruhigem Blick mich und mein Büro.

Ich brummte: »Guten Morgen.«

Das Schwarze war eine kleine Türkin im Trauerflor mit dicken goldenen Ohrringen. Ihre Haare hatte sie zum strengen Zopf geflochten, und unter den Augen hingen Schatten.

Ich schmiß die Zeitung in die Ecke. Dann, etwas freundlicher: »Guten Morgen.« Pause. »Tja, wollen Sie sich nicht setzen?«

Sie blieb stumm. Nur die Augen hetzten durch das Zimmer.

»Ähm ...«, ich überlegte, »suchen Sie mich privat oder als Detektiv auf?«

›Oder als Privatdetektiv‹, dachte ich, aber selbst gutwillige Menschen hätte man dazu kitzeln müssen.

Sie murmelte etwas auf türkisch, aber selbst laut und deutlich verstehe ich diese Sprache nicht. Ich erklärte ihr, ich sei zwar ein Landsmann, könne aber Türkisch wegen besonderer Umstände weder sprechen noch verstehen. Sie verzog das Gesicht, flüsterte: »Auf Wiedersehen«, und wollte sich wegschleichen.

»Ach, warten Sie doch mal. Wir werden uns schon verständigen können, irgendwie, meinen Sie nicht? Setzen Sie sich, und dann erzählen Sie mir in Ruhe, weshalb Sie in der Hitze hier hoch gestiegen sind. In Ordnung?«

Die Ohrringe wackelten bedenklich.

»Sehen Sie, ich habe gerade Kaffee gemacht, und ich... tja, wir können Kaffee trinken und Kuchen essen und, na ja, das können wir machen. Nicht wahr?«

Langsam verlor ich die Geduld. Endlich ging der Mund auf und hauchte ein »Gut«.

»Machen Sie sich's bequem, ich will nur grad 'nen zweiten Teller besorgen.«

Über meinem Büro liegen die Räume eines zweifelhaften Kreditinstituts, dessen Einnahmequelle das Kleingedruckte ist. Der Kassierer des Ladens, ein verschlafener Glatzenträger, kommt manchmal auf einen Schwatz herunter. Meistens mit einer Flasche Kirschlikör unterm Arm.

Während ich überlegte, was die stumme Türkin wollen könnte, lief ich die Treppe rauf und hämmerte gegen die Tür mit der Aufschrift »DURCH UNS WERDEN IHRE WÜNSCHE WIRKLICHKEIT – BÄUMLER UND ZANK KREDITINSTITUT«.

Es grunzte, und ich trat ein. Hinter dem Schreibtisch des Empfangszimmers saß der Kassierer und blätterte gelangweilt in einem Fußballmagazin.

»Na, Mustaffa, was gibt's?«

»Ich brauch 'n Teller und 'ne Gabel. Läßt sich sowas in dem Laden hier auftreiben?«

»Was gibt's denn Feines? Kebab?«

»Mhm, kann schon sein.«

»Na ja, will mal sehen, was sich machen läßt.«

Er wuchtete sich aus dem Sessel, schlappte zu einer Tür und verschwand. Es roch süßlich. Ich ging um den Schreibtisch herum und zog die obere Schublade heraus. Eine halbleere Flasche Likör rollte mir entgegen. Während ich sie aufschraubte, um ein bißchen daran zu lutschen, schepperte es laut im Zimmer nebenan. Kurz darauf kam der Kassierer fluchend mit Gabel und Teller zurück.

»Hier haste dein Porzellan, Mustaffa.«

Er sah den Likör und zog die Mundwinkel hoch.

»Kannste dich denn nicht daran gewöhnen, daß de nun in 'nem zivilisierten Land bist, wo man nich in anderer Leute Schubladen rumschnüffelt?«

Ich stellte die Flasche auf den Tisch.

»Mußt 'n ganz schöner Schlappschwanz sein. Hat mir deine Frau neulich geflüstert. Glaub mir, das liegt am Alkohol.«

Er glotzte mich dämlich an.

»Nimms nicht tragisch, ich war auch nicht so toll«, tröstete ich ihn, nahm Teller und Gabel und verließ das Kreditinstitut.

Die kleine Türkin saß in meinem Besucherstuhl und knabberte an einer Zigarette. Sie schrak hoch, als ich reinkam.

»Tut mir leid, hat ein bißchen länger gedauert. Wollen Sie nicht den Mantel ausziehen? Es ist heiß heute.«

Ich verteilte Kuchen und Kaffee und setzte mich ihr gegenüber hinter den Tisch.

»Na, dann wollen wir mal. Ich hoffe, Sie mögen Sachertorte?«

Ihre Ohrringe schlenkerten ein bißchen hin und her, vielleicht sollte es ›ja‹ bedeuten. Wir schlabberten eine Weile still vor uns hin. Dann fing sie endlich an zu erzählen. Ich zündete mir eine Zigarette an, lehnte mich zurück und hörte zu. Sie sprach etwas gebrochenes Deutsch und wiederholte sich manchmal. Es lief auf folgendes hinaus: Ihrem Mann, Ahmed Hamul, hatte man vor ein paar Tagen in der Nähe des Bahnhofs ein Messer in den Rücken gesteckt. Die den Fall bearbeitende Polizei tat – nach Meinung von Ilter Hamul, Ahmeds Frau, die mit mir Torte aß – nicht ihr Möglichstes, um den Mörder ihres Mannes ausfindig zu machen. Sie vermutete, daß ein toter Türke genauere Ermittlungen nicht wert sei.

Ihr Mann hatte ihr vor seinem Tod mit den Worten ›falls mir etwas passieren sollte‹ einen größeren Batzen Geld gegeben – woher, wußte sie nicht –, den sie nun mir überlassen wollte, damit ich mich aufmache, den Mörder zu finden. Sie hatte im Branchen-Telefonbuch unter Detekteien nachgesehen und mit Freude unter den ganzen Müllers einen türkischen Namen entdeckt. Nun war sie hier. Sie aß Torte und schaute mich fragend an.

»Aha«, bemerkte ich und überlegte, was sie unter einem größeren Batzen Geld verstehen könnte.

»Zweihundert Mark am Tag plus Spesen. Aber versprechen kann ich nichts.«

Sie kramte ihr Portemonnaie aus der Handtasche, zog einen Tausendmarkschein an die Luft und schob ihn zu mir rüber. Hell und schön lag der Haufen Nullen im

Sonnenlicht. »Den Rest geben Sie mir wieder, wenn Sie den Mörder gefunden haben.«

Für meinen Geschmack etwas zuviel Vertrauen in meine Fähigkeiten.

»Leben Sie alleine?«

»Nein, ich wohne mit meiner Mutter, meinem Bruder und meiner Schwester zusammen. Außerdem habe ich drei kleine Kinder.«

»Geben Sie mir Ihre Adresse und versuchen Sie es einzurichten, daß heute nachmittag um drei Uhr alle zu Hause sind.«

»Ich weiß nicht, mein Bruder arbeitet, und...«

»Hhm?«

»Sie wollten nicht, daß ich...«

»Daß Sie zu mir gehen?«

»Hhm, ja. Sie haben gesagt, die Polizei würde den Mörder schon finden. Wir sollten abwarten.«

»Und warum sind Sie trotzdem gekommen?«

»Ich wußte in den letzten Jahren so wenig von Ahmed. Er war oft weg und erzählte nicht viel. Ich hatte die Kinder und alles. Ich muß einfach wissen, was wirklich passiert ist, verstehen Sie?«

»Wie lange waren Sie verheiratet?«

»Zehn Jahre. Ahmed kam neunzehnhunderteinundsiebzig allein nach Deutschland. Seine erste Frau ist in der Türkei bei einem Unfall gestorben. Meine Familie ist schon seit neunzehnhundertfünfundsechzig in Deutschland. Mein Vater lernte Ahmed neunzehnhundertzweiundsiebzig kennen und brachte ihn mit zu uns nach Hause. Ein Jahr später heirateten wir.«

»Wie alt waren Sie und Ihr Mann damals?«

»Ich sechsundzwanzig, Ahmed siebenunddreißig.«

»Wohnt Ihr Vater nicht bei Ihnen zuhause?«

»Nein. Er starb vor drei Jahren, bei einem Autounfall.«

Ich holte ein Stück Papier und schrieb manches von dem auf, was sie mir erzählt hatte.

»Sagen Sie mir bitte noch, wann Ihr Mann ermordet wurde, und wo man ihn fand.«

»Die Polizei meint, es ist letzten Freitagabend passiert.«

»Und wo?«

»In einem Hinterhof... in der Nähe vom Bahnhof.«

Sie senkte den Kopf und starrte aufs schwarze Linoleum.

»Die genaue Adresse wissen Sie nicht?«

»Nein. Ich weiß sie nicht... es war eines dieser Häuser.«

Die Ohrringe zitterten.

Obwohl ihr Mann erst vor kurzem tot in einem Bordell gefunden worden war, hatte sie sich bisher recht gut beherrschen können. Ich bekam Angst, sie würde das gleich nicht mehr so gut schaffen, und stand auf.

»Gut, das wärs dann erstmal. Geben Sie mir noch Ihre Adresse, ich werde um drei Uhr vorbeikommen.«

Sie gab sie mir. Wir verabschiedeten uns, und sie huschte hinaus.

Ich zündete mir eine Zigarette an und spielte eine Weile mit dem Tausendmarkschein, bis ich ihn mit einer Büroklammer unter die Schublade heftete. Die Straße hatte sich belebt. Autohupen und vereinzeltes Rufen drangen durchs Fenster. Mir war schlecht. ›Ausgerechnet beim Bahnhof‹, ging es mir durch den Kopf. Ich trottete zur Tür, ging hinaus und schloß ab.

Es war zwanzig nach eins. Mittagspause.

Ich mischte mich unter die verschwitzten, prallen Büro-hemden, die in Dreier- und Vierergruppen aus den Hauseingängen strömten. Sie entschieden sich für ein Restaurant oder packten Brote und Kakaotüten aus, je nach Etage.

Ich kickte eine leere Bierdose an das vor mir her stolzierende Flanellbein.

»Na, hören Sie mal«, polterte der Fettkopf, während er seinen Körper herumschob, »passen Sie gefälligst auf!«

Ich lächelte ihn an.

»Ach so! Nix verstehen, he?«

Er schaute sich zu drei anderen um. Ihre Schweinsbakken verzerrten sich zu einem Grinsen.

»Hier Deutschland! Nix Türkei! Hier kommen Bierdosen in Mülleimer, und ... ähm, türkisch Mann zu Müllabfuhr!«

Sie wieherten los. Die Pfannibäuche wabbelten.

Da mir nichts Passendes einfiel, verließ ich den Kreis und ging zu dem nahegelegenen Gartenrestaurant. Ich bestellte Kaffee und Scotch, dachte an Ahmed Hamul und meinen Auftrag. Ich dachte an glückliche Nutten, bonbonlutschende Zuhälter und gutmütige Polizeibeamte.

Vor zwei Jahren hatte ich schon einmal im Bahnhofsviertel zu tun gehabt. Ein Metzger aus Südhessen wollte seine achtzehnjährige Tochter finden. Eine Stunde blieb er in meinem Büro, brüllte und winselte abwechselnd, bis ich das Mädchen verstehen konnte.

Warum er sich ausgerechnet einen türkischen Detektiv ausgesucht hatte, habe ich nie verstanden. Ich suchte die

Metzger-Tochter in allen zweifelhaften Absteigen, stöberte rund um den Bahnhof, ließ mir zwei- oder dreimal das Gesicht zermatschen und wurde zuletzt, unter dem Verdacht, mit Rauschgift zu handeln, von der Polizei festgenommen. Nach vierundzwanzig Stunden ließen sie mich gehen. Ich rief den Metzger an, gab den Auftrag zurück und legte mich für eine Woche in mein Bett.

Ich bestellte noch einen Scotch, ohne Kaffee.

Ein betrunkener Affe konnte ihm aus reiner Lust das Eisen in den Rücken gerammt haben. Vielleicht hatte er einer Nutte die Hose geklaut oder mit zu markigen Sprüchen um sich geworfen. Im schlimmsten Fall war Ahmed Hamul einer der Heroin-Türken, die täglich von der Presse durch den Fleischwolf gedreht werden.

Was wußte ich schon? Ich wußte, daß sich ein Haufen Nullen unter meinem Schreibtisch tummelte.

An den Nebentischen stapelten sich Sauerkrautschüsseln, Bratwürste und Schnitzel. Münder zerrten an paniertem Fleisch, schmatzten und würgten, quetschten dazwischen Wörter in die heiße Luft, und Zungen leckten sich Fettreste von den Backen.

Ich mußte aufstoßen, und ein säuerliches Stückchen Sachertorte landete auf meiner Zunge. Als mir richtig schlecht war, zahlte ich und ging.

Die Adresse von Ilter Hamul lag hinter dem Bahnhof. Auch nicht die beste Gegend. Ich ließ meinen Heißluft-Kadett stehen und machte mich zu Fuß auf den Weg.

Das weiße Sonnenlicht brannte auf die Stadt, und der kahle Beton sah noch kahler aus. Die unbewegte Luft stank nach Abgasen, Müll und Hundescheiße. Unter den wenigen Bäumen dämmerten Rentner dem Abend entgegen. Kinder lutschten Eis und tollten über den Bürgersteig. Ich trottete durch die Innenstadt, blieb an mehreren Reisebüros stehen und genoß den Anblick von türkisem Meer, endlosen weißen Stränden, Palmen und glatten braunen Bacardi-Girls. Nur zweitausendvierhundertneunundneunzig Mark die Woche. Ich überlegte, wieviel Ahmed Hamuls noch ins Gras beißen müßten, damit ich sieben Tage Sandburgen bauen, Rum trinken und mir von Nesquick-Damen die Füße waschen lassen könnte.

Die Straßencafés waren überfüllt. Kellner mit roten, nassen Köpfen balancierten ganze Ladungen kalter Getränke durch die Tischreihen.

Ich näherte mich dem Bahnhof. Die Sprüche der Sex-Shops, ›Feuchte Schenkel‹, ›Schweiß blutjunger Nymphomaninnen‹, konnten kaum beeindrucken. Feuchte Schenkel hatte bei dem Wetter jeder.

Ein paar Penner suhlten sich in leeren Cola-Büchsen und abgefressenen Hamburger-Kartons. In ihren Schädeln schwappte der warme Rotwein hin und her.

Hinter dem Bahnhof wurden die Straßen leer und still. Ich suchte, bis ich vor einem bröckelnden Altbau stand. Zwei türkische Kinder donnerten ihren Ball gegen die Hauswand. Ich überlegte, ob sie es schaffen würden, den gesamten Putz bis zum Abend runterzuholen.

Die Klingelknöpfe waren herausgerissen und hatten ein Loch mit Drahtwirrwarr hinterlassen. Ich schob die Tür auf. Im Flur war es düster. Eine Mischung von Kinderpipi und Bratkartoffeln zog mir in die Nase. Aus einer Wohnung blubberte es leise: ich lieb dich nicht – du liebst mich nicht. Die Briefkästen waren fast alle aufgebrochen oder aufgebogen. Wahrscheinlich hatte man die Schlüssel verloren. Ich ging langsam die Treppe hinauf in den dritten Stock. Zumindest ein Mitglied der Familie Ergün erwartete mich. Oben angelangt, öffnete sich sogleich die Tür. Ilter Hamul bat mich in die Wohnung. Sie hatte die Ohrringe gewechselt, trug jetzt kleine Perlen, die sehr viel strenger wirkten, der Situation entsprechend.

Gegen die Wohnung war der Hausflur ein Sonnenbad, und nur vage konnte ich den einen oder anderen Gegenstand ausmachen.

»Mein Bruder ist doch gekommen. Er hat sich für den Nachmittag frei genommen«, flüsterte sie mir zu, während ich gegen einen blödsinnig plazierten Sessel stieß. Wir schlichen durch den langen Flur als wollten wir Marmelade klauen. Das Wohnzimmer befand sich am anderen Ende.

Ilter Hamul packte mich am Ärmel, und gemeinsam betraten wir einen großen Raum. Zwischen einem Haufen bunter Decken, Kissen, Sessel und Sofas hockten die Mitglieder der Familie Ergün.

»Hier ist Herr Kayankaya.«

Es klang wie eine Entschuldigung.

Das Zimmer glich einer Lichtung. Drei große Fenster ließen die Sonne herein. An den Wänden hingen Bilder aus der Heimat. Unter anderen Umständen mußte es gemütlich sein.

»Guten Tag«, versuchte ich freundlich. Einer nickte.

Ilter Hamul schob mich in einen Sessel, in dem man ohne weiteres zu zweit hätte schlafen können. Eine Kanne Tee, Tasse und Zucker standen auf einem kleinen Messingtisch davor. Ich setzte mich, nahm ein Stück Zucker und überlegte mir, wie am besten beginnen. Alles glotzte mich stumm an. Die drei kleinen Kinder saßen eng aneinandergeschmiegt in rotem Samt. Sie schienen wie aus Wachs. »Tja«, sagte ich, und rührte im Tee. »Sie wissen, Frau

Hamul hat mich engagiert, den Mörder ihres Mannes zu finden.« Pause. Bedächtiges Räuspern der alten Mutter. »Oder es jedenfalls zu versuchen«, fügte ich hinzu.

»Ich muß Ihnen deshalb ein paar Fragen stellen. Es wird nicht lange dauern. Frau Hamul hat mir das Wichtigste schon erzählt.«

Der Bruder saß rechts von mir auf einem dunkelblauen Sofa. Jetzt warf er meiner Klientin einen kurzen, bösen Blick zu. Sie betrachtete stur ihre Schuhe.

Ich fischte Notizblock und Stift aus der Tasche, suchte eine leere Seite und fragte an Ilter Hamul gewandt: »Übrigens, wo ist Ihre Schwester? Arbeitet sie?«

Die Augen verließen die Schuhe, ihr Mund öffnete sich zu einem »Äh…«

»Sie ist krank und liegt im Bett! Sie kann nicht aufstehen, sie muß schlafen!« kam es schnell und kalt aus der Ecke des Bruders.

Die Situation war etwa so entspannt wie im Endspiel der Fußballweltmeisterschaft. Also gut. Ich hatte hier nichts verloren. Dann wollte ich alles so schnell wie möglich hinter mich bringen.

»Das tut mir natürlich leid. Tja, dann sagen Sie mir mal alle Ihren Namen, Geburtsdatum, Beruf und so weiter…«

Da sich nichts tat, zauberte ich mir ein Lächeln ins Gesicht und wandte mich an den Bruder: »Fangen Sie an, ja? Und sagen Sie mir auch, was Sie vermuten, warum Ihr Schwager umgekommen ist.«

Inzwischen wußte ich nicht mehr so recht, was ich eigentlich fragen sollte. Viel konnte man mir hier bestimmt nicht erzählen.

»Ich heiße Yilmaz Ergün. Ich bin vierunddreißig Jahre

alt. Mein Beruf ist Tischler, aber ich arbeite schon länger in einer Großküche. Inzwischen bin ich Hilfskoch.«

Er bemerkte das nicht ohne Stolz.

»Was für eine Großküche? Wo?«

»Im Hessischen Rundfunk.«

Schlechtes Radio und schlechtes Schnitzel waren das einzige, was mir dazu einfiel.

»Und was denken Sie über den Mord an Ihrem Schwager?«

Ich sah kurz rüber zu Ilter Hamul, um mich zu vergewissern, daß sie sich tapfer hielt. Sie hielt sich.

»Ich weiß nichts. Das ist Sache der Polizei!«

Daß er dieser Meinung war, wußte ich längst. Vielleicht hätte ihn eine Flasche Raki redseliger gestimmt.

»Na gut. Lassen wirs dabei. Zu Ihnen, Frau Ergün. Die gleichen Fragen.«

Die Oma war zwar offener, trotzdem mußte es etwas geben, was sie verschwieg. So dachte ich jedenfalls. Sie schmückte ihre Daten aus, erzählte eine ganze Lebensgeschichte und lächelte mir sogar manchmal zu.

Sie hieß Melike Ergün, war fünfundfünfzig Jahre alt, hatte mit achtzehn ihren vor drei Jahren verstorbenen Mann, Vasif Ergün, geheiratet, mit ihm drei Kinder gezeugt (Ilter, Yilmaz und die kranke Schwester Ayse) und war nach dem Umzug nach Deutschland putzen gegangen. In letzter Zeit kümmerte sie sich um die kranke Tochter.

»Darf ich fragen, was Ihre Tochter hat?«

Als wäre es seine Tochter, antwortete der Bruder: »Sie hat bis vor einem halben Jahr auch als Putzfrau gearbeitet. Dann hat sie die Stelle verloren und wurde schwermütig.«

Sein gutes Deutsch, der scheinbar sichere Posten, alles

wies darauf hin, daß Yilmaz Ergün ein fleißiger und gewissenhafter Mensch sein mußte.

»Wie alt ist sie?«

»Vierundzwanzig Jahre.«

»Mhmhm. Frau Ergün, was vermuten Sie über den Tod Ihres Schwiegersohns?«

Ich hätte eine ganze Menge erwartet.

»Ahmed hat Selbstmord gemacht.«

Blöde schaute ich sie an.

»Ja... aber das Messer steckte im Rücken, nicht?« fragte ich Ilter Hamul.

»Egal. Sie werden sehen, er hat Selbstmord gemacht.«

Ich merkte, wie meine Klientin anfing zu zittern, und wechselte das Thema. »Na ja, das wird mir auch die Polizei sagen können. Frau Ergün, erzählen Sie mir, was Ihr verstorbener Mann gearbeitet hat und wo.«

Vasif Ergün hatte, genau wie mein Vater, bis zu seinem Tod anderer Leute Müll geschleppt.

»Frau Hamul, Sie haben mir heute morgen erzählt, Sie hätten in den letzten Jahren nicht mehr genau gewußt, was Ihr Mann gemacht hat. Was heißt das? Ist er manchmal länger weg gewesen, auch über Nacht? Oder verreist?«

Zum Glück glaubte der Bruder nicht auch noch, die Frau seines Schwagers zu sein.

»Nein, das nicht, er kam fast jeden Tag nach Hause«, sagte sie zögernd.

»Was hat er denn gearbeitet? Oder hat er nicht gearbeitet?«

»Doch, das schon.«

Nach längerem Hin und Her und bösen Blicken zwischen Ilter und Yilmaz kam heraus, daß keiner so recht wußte, was Ahmed Hamul in den letzten zweieinhalb Jahren getrieben hatte. Davor war er regelmäßig in eine Fabrik gegangen. Doch irgendwann hatte er gekündigt. Nach seinen Erzählungen war er dann als Packer bei der Post oder in einem Kebab-Laden beschäftigt gewesen. Er habe nicht viel geredet, aber immer genug Geld mit nach Hause gebracht. Von Freunden Ahmeds wußte man nichts. Viel gesprochen wurde offensichtlich in der ganzen Familie nicht.

Mit der Feststellung, daß Bruder und Mutter meiner Klientin nicht besonders von Ahmed Hamul eingenommen waren, beschloß ich das Gespräch.

»Gut. Das reicht dann auch. Sagen Sie, ob ich Ihre Schwester wohl demnächst einen Augenblick sprechen könnte?«

Alle machten den Mund auf, aber nur beim Bruder kam auch was raus.

»Das wird in nächster Zeit nicht gehen.«

›Das hätte ich mir auch denken können‹, dachte ich mir und stand auf.

»Ich werde mich ein bißchen umsehen und voraussichtlich morgen noch einmal vorbeischauen. Ist jemand in der Wohnung?«

»Ja, ich bleibe zu Hause wegen Ayse.«

Ich wandte mich an Ilter Hamul: »Eh ich es vergesse, ein Foto von Ihrem verstorbenen Mann brauche ich noch.«

»Natürlich.«

Sie ging zum Schreibtisch, zog eine der Schubladen auf und kam mit einer größeren Portraitaufnahme in Farbe zurück.

Ahmed Hamul hatte dichtes schwarzes Haar gehabt,

einen ebenso kräftigen Schnurrbart und abstehende Ohren, wie hundert andere auch.

»Vielen Dank.«

»Die Polizei wird uns Schwierigkeiten machen, wenn sie erfährt, ein Detektiv arbeitet für meine Schwester!«

Langsam ging mir der Bruder auf die Nerven.

»Nein, kann sie nicht. Glauben Sie mir das.« Pause. »Tja, ich werde mich dann mal verabschieden.« Jeder sagte mir mehr oder weniger freundlich ›auf Wiedersehen‹. Die Kinder, in den letzten zehn Minuten immer unruhiger geworden, erwachten nun ganz und begannen sich zu kitzeln. Der Tod ihres Vaters schien sie nicht zu berühren. Wahrscheinlich hatten sie es noch gar nicht kapiert. Ilter Hamul lotste mich zurück durch den Tunnel. Ich lief die Treppe runter und landete endlich vor der Haustür.

Eine Weile stand ich da, zündete mir eine Zigarette an und beobachtete das Treiben an der gegenüberliegenden Trinkhalle.

Besonders aufregend war das alles nicht. Aber was hätte ich schon noch fragen können? Nichts, dachte ich mir und ging hinüber, um ein Bier zu bestellen. Drei haarige Gestalten hingen schief um die Bude und klammerten sich an die Henninger-Flaschen. Säuerlich schlug es mir entgegen. Trübe Augen, eingebettet in aufgedunsene, rosa Fleischwülste, schielten zu mir herüber. Einer fing an, herzhaft zu rülpsen, wobei er Bröckchen in die Gegend schleuderte.

»Ei, isch brauch en Jescherkleister!«, brachte er zwischendurch heraus.

»Ein Pils, bitteschön«, rief ich ins leere Häuschen und wartete.

»Ich brauch en Jescherkleister, gell Hans, merr brauche alle en Jescherkleister!«

Pause. »Gell?« Er drehte sich langsam und vorsichtig um, umklammerte dabei haltsuchend die Theke.

»Gell, Hans, merr brauche en Jescherkleister! Hans!«

Der Haufen in der Ecke mit Namen Hans blubberte Unverständliches.

»Uff Hans! Dringe merr noch aan!«

Hans pißte ohne Umstände und patschte mit der Hand in das gelbe Rinnsal, wie um sicherzugehen, daß auch alles klappte, und grunzte.

Endlich öffnete sich die hintere Tür, und Madame Obelix schlappte herein.

»Ich hätte gern ein Pils«, wiederholte ich und legte zwei Mark in den Geldteller.

»Wolle Se net gleisch saache, wiefel Se hawwe wolle, dann mus isch net dauernt hi und her renne.«

Sie war Profi.

»Also gut, dann gleich zwei.«

»Sehn Se!«

Sie wuchtete sich zu einem Kühlschrank, der neben ihr wie eine Zigarettenschachtel aussah, und zog mit Mühe zwei Flaschen heraus.

»Öffnen Sie mir bitte eine«, bat ich und legte das fehlende Geld in den Teller.

Das offene Bier landete auf der Theke, daß der Schaum spritzte. Madame Obelix schlappte wieder nach hinten.

Ich trank mein Bier und überlegte, warum die Alte von Selbstmord gefaselt hatte, bis ich bemerkte, daß mich der Dritte im Jägermeisterverein anglotzte. Er gab seinem Herzen einen Stoß: »Babbelst en gudes Deutsch. Bisde net vom Balgan?«

Seine Hand deutete hinter sich, wo der Balkan liegen sollte.

»Ei naa, Bubsche, isch war zwaa Woche uff Maijorga.«

»Ah, soo.« Pause. »Isses schee dort unne?«

»Schee isses scho, blos aach gefällisch, wesche de Indianer.«

»Ah, soo.« Er überlegte. »Habbe Se sich da verschdändische könne?«

»Klar, isch habb gedrommelt«, antwortete ich ihm, trank das Bier aus und ging, ohne ein weiteres ›Ah soo‹ abzuwarten, die Straße runter.

3

Zuerst wollte ich bei der Kripo vorbeischauen, um endlich zu erfahren, was Ahmed Hamul passiert war. Ob sie es mir erzählen würden, wußte ich nicht. Wohl kaum.

Bis zum Polizeipräsidium war es noch ein gutes Stück, und die zweite Bierflasche ragte aus meiner Jackettasche. Da ich schlecht mit einer Flasche Bier unter dem Arm bei der Polizei einlaufen konnte, öffnete ich sie an der nächsten Eisenkante und trank sie aus. Kurz vor dem Präsidium kaufte ich mir ein Päckchen Kaugummi und ging dann rein zum Empfangschef.

Durch einen großen, hellgelben Raum zog sich eine lange Holztheke, hinter ihr sichtete ich einen Kopf. Der Kopf fragte, ohne aufzusehen:

»Sie wünschen?«

Ein kleiner, dreckiger Ventilator summte an der Decke und mischte sich mit entferntem Geträller. Ich durchmaß etwa fünfzehn Meter Raum, um, auf die Theke gelehnt, zu sagen: »Ich möchte den Kommissar sprechen, der den Fall Ahmed Hamul bearbeitet.«

Das kleine Männlein mit schmalem Gesicht, über Papiere, Stempel, Schreibmaschine und noch mehr Papiere gebeugt, sah auf und zeigte mir eine dicke, rote Triefnase.

»Wie, Ahmed Samul?«

»Nein, Ahmed Hamul, der Mann, den sie neulich in der Nähe vom Bahnhof umgelegt haben.«

»Ein Türke?«

Genüßlich zog er sämtlichen Rotz aus der Nase hoch ins Gehirn.

»Ja, das auch!«

»Oh, Sie auch, was...«

»Ja, ich bin auch Türke. Jetzt verraten Sie mir mal, an wen ich mich wenden muß.«

Er steckte seinen Finger in die Nase, rührte ein bißchen drin herum, und man konnte fast zuschauen, wie der mit Rotz gefüllte Schädel arbeitete. Endlich quengelte er, »tja, ich weiß wirklich nicht, ob ich Ihnen da helfen kann. Ich meine, ob ich es überhaupt darf, da könnte ja jeder kommen, verstehen Sie, und...«

»Hören Sie, ich bin Abgesandter der Türkischen Botschaft und von höchster Stelle beauftragt, mit dem Kommissar zu reden, der mit diesem Fall betraut ist. Falls Sie nicht schleunigst anfangen, sich ein bißchen zu beeilen, wäre ich gezwungen, mich über Sie zu beschweren!«

Er schaute ungläubig auf und schniefte. Doch dann kam Leben in das Männlein.

»Na, ja... dann, natürlich, sofort, äh... entschuldigen Sie, aber man kann ja nie wissen. Warten Sie einen Augenblick, ich will nur telefonieren, es dauert nicht lange. Hoffentlich ist der Kommissar im Haus.«

Er stürzte sich auf das Telefon.

»Hallo, Zentrale? Ja?... Hier spricht Nöli vom Empfang... ja, hören Sie, wer bearbeitet denn den Fall Ahmed Hamul?... Ja, es ist dringend!... Ein Abgesandter der Botschaft! – Welcher? Na, der türkischen natürlich!... Ja, ja,... ich warte.«

Er nickte mir ernst zu.

»Ja, hallo, ja... wer?... Kriminalkommissar Futt?... Ah ja, er befindet sich in seinem Büro... Welche Nummer?... Einhundertsiebzehn?... Ah, ja, gut, vielen Dank.«

Er legte auf und schniefte einmal kurz.

»Also! Kriminalkommissar Futt befindet sich in seinem Büro im vierten Stock. Er erwartet Sie. Wenn Sie jetzt wieder hinaus auf den Flur gehen, finden Sie den Aufzug zehn Meter weiter links. Im vierten Stock gehen Sie rechts. Die fünfte oder sechste Tür müßte dann das Zimmer hundertsiebzehn sein.«

Nachdem ich mich bedankt und er sich noch einmal entschuldigt hatte, verließ ich die Halle. Ich benutzte die Treppe, um mir zu überlegen, was ich Herrn Futt erzählen könnte. Irgend jemand hatte mir mal weismachen wollen, mit dem Kriminalkommissar sei nicht gut Kirschen essen. Weitere aktenbeladene Nölis, reizlose Politessen und eine Menge Freunde und Helfer begegneten mir, bis ich vor der Tür hundertsiebzehn stand, anklopfte und eintrat. Futt stand am Fenster und bräunte seine Glatze.

»Ah, guten Tag. Der Herr Abgesandte, nehme ich an?«

Ein Metallschreibtisch, zwei Metallsessel und vier Metallschränke zierten den sonst leeren Raum. Das eintönige schmutzige Weiß der Wände wurde nur von einem Kalender mit springendem Schäferhund unterbrochen.

»Guten Tag, Herr Kommissar. Ja, ich bin von der Türkischen Botschaft beauftragt, die Fakten zum Fall Ahmed Hamul zu erkunden.«

Futt maß etwa einsneunzig, sein kahler Kopf hatte Dellen, das Kinn eine senkrechte Kerbe, ein rosa Hemd trug er offen bis zum Bauchnabel, und um den Hals schlenkerte ein Goldkettchen, wie man es mit Glück am Kaugummiautomaten zieht. Seine behaarten, kräftigen Hände hielten eine Zigarre, die das Zimmer mit dünnem Nebel versah. Er sah aus wie ein Metzger auf Urlaub.

»Ja, dann setzen Sie sich doch erstmal. Viel kann ich Ihnen leider nicht erzählen, denn unsere Ermittlungen sind bisher ziemlich ergebnislos verlaufen.«

Seine Hand schüttelte meine. Sie fühlte sich an wie rauhes Klopapier. Er dirigierte mich zu einem Sessel. Dann setzte er sich mir gegenüber, schlug die vor ihm liegende Mappe auf und ratterte los: »Ich weiß nicht, was für Sie von besonderem Interesse ist, aber ich kann kurz alle bisher vorliegenden Fakten aufzählen.« Er hustete.

»Die persönlichen Daten von Ahmed Hamul dürften Sie ja besitzen, ich erspare sie mir ... Hamul wurde letzten Freitag in der Nähe des Bahnhofs mit einem Messer im Rücken tot aufgefunden. Er lag in einem Hinterhof, eine Bewohnerin des Hauses entdeckte ihn am Abend, als sie zum Müllcontainer gehen wollte. Hamul lebte mit seiner Frau und deren Familie seit zehn Jahren – seit der Heirat – zusammen. Gearbeitet hat er in einer kleinen Fabrik für Elektrobauteile. Wir haben sämtliche Bewohner des Hauses verhört, konnten aber nichts herausfinden.«

Das war kurz und unvollständig.

»Es tut mir wirklich sehr leid, aber mit mehr kann ich Ihnen im Augenblick nicht dienen.«

Ich wunderte mich schon die ganze Zeit, warum er so bereitwillig und, gemessen an seiner Position, so freundlich Auskunft gab, wenn auch lückenhaft. Vielleicht hatte man Abgesandte der türkischen Diktatur neuerdings zuvorkommend zu behandeln.

Flott fragte ich ihn all das, was er verschwieg.

»Wie heißen denn Straße und Nummer des Hauses; wie ist der Name der Fabrik, in der er gearbeitet hat; wann genau ist nach Zeugnis des Arztes der Tod eingetreten, und in welche Richtung laufen Ihre Vermutungen?«

Wie erwartet wurde er mißtrauisch.

»Wozu wollen Sie das eigentlich alles wissen? Ich meine, ich frage, weil wir natürlich unsere Informationen nicht leichtfertig unter die Leute bringen können.«

»Der Geheimdienst meines Landes hegt den begründeten Verdacht, daß Ahmed Hamul Opfer eines Anschlages linksradikaler Elemente ist, die, aus der Türkei geflüchtet, sich hier im Untergrund aufhalten. Weitere Erklärungen kann ich Ihnen nicht geben, da die Angelegenheit streng geheim behandelt wird, und ich im übrigen auch nicht mehr weiß.«

Das saß.

»Ach so, tja, das ist etwas anderes. Entschuldigen Sie, aber das wußte ich natürlich nicht. Für uns war es bisher nur ein alltäglicher Mordfall, Sie verstehen?« Ich verstand. Langsam bekam ich Spaß an der Sache. Ich holte Stift und Notizblock heraus und lehnte mich mit ernster Miene zurück. Futt suchte die richtige Mappe.

»Ah, ja. Sie haben etwas zu schreiben?... Gut... das ist die Sumpfrainerstraße Nummer vierundzwanzig. Die Fabrik heißt Fuchs & Sohn Elektrobauteile... Haben Sie das? Gut. Nach ärztlichem Befund trat der Tod unmittelbar ein. Die Tatzeit dürfte etwa achtzehn Uhr gewesen sein... Auf Ihre Frage nach eventuellen Vermutungen muß ich Sie leider enttäuschen... offen gestanden, Sie sind da weiter als wir.«

Das langte mir. Viel mehr wußte er wahrscheinlich wirklich nicht. Ich erhob mich, steckte Notizblock und Stift weg und machte einen Schritt auf Futts Schreibtisch zu. Er stand ebenfalls auf. Wir schüttelten uns die Hände.

»Vielen Dank, Herr Kommissar. Falls noch irgendwelche Fragen auftauchen, melde ich mich bei Ihnen. Sie haben mir sehr geholfen.«

Wir wünschten uns einen guten Tag. Dann verließ ich ihn samt seinem Schäferhund. Es war achtzehn Uhr. Schichtwechsel. Auf dem Gang war eine Menge los. Kurz vor der Treppe links befand sich eine Telefonzentrale. Eine dralle Blondine, mit sichtlichen Problemen bei der Konfektionsgröße ihrer Uniform, hatte Dienst. Immer noch im Bewußtsein, eine very important person der Türkischen Botschaft zu sein, blieb ich stehen und warf ihr ein kesses Lächeln zu. Sie musterte mich geringschätzig.

»Na, Aladin, wo haste denn deine Lampe gelassen?«

Ich hatte mir am Anfang meiner Laufbahn als Privatdetektiv einen Stapel Visitenkarten drucken lassen. Ich hatte geglaubt, das gehöre dazu. Ich brauche sie fast nie, habe aber immer welche bei mir. Nun war die Gelegenheit da. Ich zog ein Kärtchen mit KEMAL KAYANKAYA – PRIVATERMITTLUNGEN aus meiner Brieftasche, knallte es aufs Brett vor der Blondine und knurrte: »Geben Sie das Kommissar Futt, wenn er geht, oder bringen Sie es in sein Büro. Es ist wichtig!«

Sie verzog keine Miene.

»Mach ich.«

Ob es vernünftig war oder nicht, es machte Vergnügen, an Futts Grimasse zu denken, wenn er die Karte lesen würde.

Ich ging die Treppe runter, schaute noch kurz bei Nöli rein, um ihm mitzuteilen, er hätte auf Grund seines Verhaltens ein Disziplinarverfahren zu erwarten, und trat raus in die Sonne.

Der Feierabendverkehr schwappte durch die Straßen. Ich hatte keine Lust, in das Gewühl einzutauchen, und kehrte in die nächstbeste Kneipe ein. Beim Bier beschäftigte mich der Gedanke, ob ich nun sowas ähnliches wie ein Bulle sei oder nicht. Mein Magen machte der Überlegung ein Ende. Ich beschloß, nach Hause zu gehen, wo noch zwei oder drei Buletten im Kühlschrank liegen mußten. Es war ein langer Weg, und ich hatte Zeit, meine weiteren Schritte für Ilter Hamul zurechtzulegen.

4

LASS DEINE FINGER VON
AHMED HAMUL, TÜRKE!
ERSTE UND LETZTE WARNUNG!!

Ich hielt den Zettel gegen die Lampe. Kein Wasserzeichen, ganz normales, weißes Schreibmaschinenpapier. Was anderes hätte mich auch gewundert. Es mußten schnelle Jungs sein, die mir den Lappen an den Briefkasten geheftet hatten. Besonders einfallsreich war der Text nicht. Vielleicht sollte er das auch gar nicht sein.

Ich holte einen Reißnagel und pinnte den Zettel über den Herd. Gut sichtbar. Dann fummelte ich die Buletten aus dem Wachspapier, warf sie in die Pfanne, öffnete eine Büchse Erbsen und schüttete sie dazu. Die Buchstaben waren aus Zeitungen ausgeschnitten und aufgeklebt. Ich hatte nie gedacht, daß es solche Post wirklich gibt, konnte mich auch jetzt nicht recht entscheiden, ob ich lachen sollte oder nicht. Ich nahm den Wohnungsschlüssel, lief die Treppe hinunter auf die Straße, um die Ecke zu einer Trinkhalle und kaufte einen Satz auflagenstärkerer Tageszeitungen. Auf dem Rückweg überflog ich zwei Titelseiten. Das F von Finger und das U von Warnung standen in der gleichen Zeile, dicht beieinander. Als ich die Tür aufschloß, roch es verdächtig nach angebrannten Buletten. Ich riß die Pfanne vom Herd, gab alles auf einen Teller, öffnete eine Flasche Bier, legte die Zeitungen neben mich, las und kaute. Zwei Zeitungen reichten, um alle Buchstaben bis auf die i-Pünktchen beisammen zu haben. Den ›Türken‹ hatte man bei der rasanten Überschrift ›Türke peitschte Dackel bis zum Herzinfarkt‹ gefunden. Sechs Stunden beschäftigte ich mich gerade mit der ehemaligen Existenz Ahmed Hamuls, und nur die Familie Ergün und Futt und wahrscheinlich noch einige seiner Mitarbeiter wußten das. War in der stummen Familie doch ein redseliges Mitglied, oder hatte die Polizei keine Lust, sich die Arbeit wegnehmen zu lassen? Da war noch eine Möglichkeit. Wenn ich durch Zufall als türkischer Abgesandter ins Schwarze getroffen hätte? Bestimmt hatte Futt nach Empfang meiner Visitenkarte die Botschaft angerufen, um nachzufragen. Wenn nun die Türkische Botschaft, anstatt in orientalisches Gelächter auszubrechen, hellhörig geworden wäre? Vielleicht störte sie, daß ein hergelaufener Landsmann mit Sachen um sich warf, mit denen sie selber werfen wollte. Vielleicht kam den Vertre-

34

tern der türkischen Diktatur der Tod von Ahmed Hamul auch ganz gelegen, und sie wollten nun in diesem Zusammenhang nicht gern genannt werden.

So langsam fielen mir die Fragen ein, die ich der Familie Ergün stellen mußte. Hatte Ahmed Hamul eine politische Vergangenheit? Bekam er viel Post aus der Heimat? War er in Deutschland vielleicht Mitglied eines Kegelclubs, der sich intensiv mit der Abschaffung der türkischen Regierung befaßte?

Ich pulte mir einen Rest Hackfleisch aus den Zähnen, holte das Bastelwerk von der Wand und betrachtete es.

Ob die Türkische Botschaft mich mit ›Türke‹ anreden würde? Warum nicht? Ich zündete mir eine Zigarette an und suchte im Telefonbuch die Nummer der Botschaft. Achtmal klingelte es. Die Telefonistin hatte Feierabend. Ich legte auf.

Weihnachten, Ostern und Pfingsten sind Zeiten, zu denen ganz Deutschland Päckchen für die Verwandtschaft packt. Es sind die Zeiten, für die die Post Sondertrupps anheuert, um den Berg eingeschnürter Plätzchen und Schlafanzüge abzutragen. Umschlagplatz ist der Bahnhof. Wenn ich etwas über den Gelegenheitsarbeiter Ahmed Hamul erfahren wollte, mußte ich dort nachfragen. Ich trank das zweite Bier. Nebenan in der Wohnung des haarigen Sozialpädagogen wütete die Stimme eines Westernhelden.

Ich hätte mir auch lieber Indianerschlachten angesehen. Statt dessen schlurfte ich hinaus in den hellblauen Augustabend.

Die Vögel flöteten in den schläfrigen Strahlen der untergehenden Sonne. Es war angenehm warm.

Der Opel stand immer noch beim Büro. Ich steuerte die

nächste U-Bahn-Station an. Die Rolltreppe zog mich unter das Pflaster in die stickigen Hallen. Zwei Typen, rosa glänzende Haare, jede Menge Werkzeug im Gesicht, torkelten mir entgegen. Ich zog ein Ticket und setzte mich auf eine Bank. Neben mir erzählten sich drei Alte Abenteuer aus dem Altersheim.

Der Zug donnerte herein. Die drei erhoben sich vorsichtig und staksten zur Schiebetür. Ich hatte keine Lust auf mehr Geklapper von dritten Zähnen, setzte mich in die andere Ecke des Waggons und las Reklameschilder.

›Schleck dir einen!‹

Das Schild zeigte einen länglichen Plastikzylinder mit Vanilleeisrohr. Wenn man lecken wollte, konnte man das Rohr rausschieben, danach wieder zurückziehen, und immer hin und her, bis die milchige Creme alle war. Wieso hatte ich es eigentlich nicht bei der Werbung versucht? Eine Dose, oben drauf eine Schuhbürste, und wenn man dran kitzelt, blubbert es roten Himbeersaft.

Der Zug hielt, und ich stürzte mich ins Bahnhofsdurcheinander. Ein blumenschwenkender Junge rannte mich fast über den Haufen. Zwei schlitzäugige Minoltas erkundigten sich, wo die Frauen seien. Schließlich lehnte ich an einem der zehn Postschalter und musterte den Rücken vor mir.

»'n Abend. Sagen Sie, an wen müßte ich mich wenden, wenn ich Lust hätte, Postsäcke durch die Gegend zu schleppen?«

»Hhm?«

»Hab 'ne Menge Muskeln, aber keinen Job.«

»Hhm?«

»Okay, ich will wissen, wo die Männer zu finden sind, die Pakete und Päckchen verladen.«

Immerhin, er drehte sich um und deutete mit dem Daumen die Treppe runter.

»Gleis eins is 'ne Tür, steht Post drauf.«

»Danke.«

»Hhm.«

Ich fand die Tür und stieß sie auf. Wieder ein Schalter, wieder ein Rücken, wieder ein längeres Hin und Her. Er wies mich zur nächsten Tür. Dahinter müsse irgendwo der Personalchef sitzen. Irgendwo dahinter war eine vergitterte Halle mit Eingepacktem, dann eine Art Umkleidekabine und endlich das Schild PERSONALBÜRO. Ich klopfte an. Ohne Antwort zu bekommen, ging ich hinein.

»Noch nie was von Warten gehört?« kam es säuerlich aus der Ecke.

Dort saß Schwabbel. Schwabbel hatte einen roten Seemannsbart, der die Oberlippe frei ließ, eine picklige Stirn und zurückgekämmtes fettiges Haar.

Das Büro war ein Büro wie hundert andere auch. Billige Preßspanmöbel, grauer Linoleumfußboden, Autokalender, Klolampe.

Die Flasche Bier lugte miserabel versteckt hinter einem Haufen Akten hervor.

»Tut mir leid, hab ein paar Mal geklopft.«

»Un was wolln Se?« polterte er.

»Ich will wissen, ob hier ein gewisser Ahmed Hamul zeitweise als Packer gearbeitet hat.«

»Schon möglich. Hier arbeiten viele.«

»Ich muß es aber genau wissen. Es wird doch irgendwo eine Akte geben, wo das drin steht.«

»Wozu wolln Se das denn so genau wissen?«

Ich kramte meine Lizenz raus.

»Na und?«

37

»Der Junge ist tot, und ich soll rauskriegen, was er gemacht hat, als er noch laufen konnte.«

Schwabbel zog die Stirn hoch.

»Na ja, werd ich wohl mal nachsehen. Wann soll er denn hier gearbeitet haben?«

»So in den letzten zwei, drei Jahren.«

Schwabbel furzte.

»Tschuldijung.«

Dann stand er auf und schlurfte zu einem Regal mit Aktenordnern.

»Die letzten zwei, drei Jahre, hä?«

»Ja, das müßte hinkommen.«

Mit zwei Ordnern unterm Arm ließ er sich wieder in den Sessel fallen.

»Arbeiten viele nur kurz hier... so... wie nennt er sich?«

»Ahmed Hamul, wie man's spricht.«

»Hhm... Ihr Brüder habt doch alle dieselben Namen... naja... Hamul... Ha... Ham...«, er blätterte, »... Ha... Hamu... Hamul! Da isser! Hat öfters 'n paar Wochen hier gearbeitet, hammse recht.«

»Wann?«

»Och, sehn Se sich's doch selber an«, muffelte er und schob den Ordner zu mir rüber.

Ahmed Hamul, 14. 4. 1981 bis 2. 7. 1981, war die erste Eintragung. Es folgten weitere, die immer kürzere Zeiträume umfaßten, bis zur letzten, 20. 12. 1982 bis 3. 1. 1983.

Ich klappte den speckigen Ordner zu und fragte: »Gibts hier vielleicht jemanden, der sich an ihn erinnern könnte?«

»Warum nich, fragen Se halt vorne nach. Wird schon jemand wissen.«

»Mach ich. Schönen Abend noch.«

»Von mir aus.«

Ich verließ Schwabbel und lief zurück zum Schalter. Wieder der Rücken. Ich klopfte gegen die Glasscheibe, und er drehte sich um.

»Na, Sie schon wieder. Chef gefunden?«

»Chef gefunden«, bestätigte ich. »Erinnern Sie sich zufällig an einen Packer mit dem Namen Ahmed Hamul? Hat öfter hier gearbeitet.«

»Ach wissen Se, da fragen Se mal besser die Jungs aufm Bahnsteig. Die hatten ja schließlich mit ihm zu tun.«

Ich ging wieder hinaus in die dröhnende Bahnhofshalle. Auf Gleis drei stand ein Postwaggon zum Entladen. Ich schlenderte hin und sah den Muskelmännern bei der Arbeit zu.

Einer machte Zigarettenpause. Ich ging auf die zwei Meter Fleisch zu und versuchte ein kumpelhaftes »Guten Abend«.

»Gleichfalls«, brummte er, drehte sich um, sprang auf den Wagen und fuhr fort, Säcke zu wuchten. Als er kurz an der Rampe auftauchte, brüllte ich durch den Lärm: »He, Meister, kennst du einen Kollegen namens Ahmed Hamul?« Er verschwand im Waggon, kam dann mit noch mehr Säcken zurück und donnerte: »Hat 'ne Zeit lang hier gearbeitet.«

»Gibts hier jemand, der mehr mit ihm zu tun hatte?«

Es dauerte eine Weile, bis er wieder zum Vorschein kam.

»Frag mal da vorne in dem Häuschen nach, die haben Pause.«

Er zeigte auf ein Wellblechdach und war weg, ehe ich ein ›Danke‹ schreien konnte.

Also ließ ich es.

Die Tür war ebenfalls aus Wellblech und quietschte unangenehm. Dunst von abgestandenem Bier und Zigarettenrauch schlug mir entgegen.

Drei Mann spielten auf einer umgedrehten Henninger-Kiste Skat. Einer saß in der Ecke und sah trübe in den Flaschenhals. Alle vier hatten speckige, ärmellose Unterhemden an, aus denen regelrechte Muskelkugeln heraushingen. Die Kartenspieler sahen kurz auf, als ich eintrat, drehten sich aber gleich wieder weg und reizten weiter.

»Wo war'n mer?«

»Sibbe?«

»Mhm!«

»Dreisisch?«

»Scheise verdammte! Läßt dei Aal disch net mer ran? Gehert ja vebodde, so e Glick!«

»Alles Köppsche, sach isch der!«

Er grapschte nach dem Skat und kniff die Augen zusammen. Der dritte kramte gelangweilt zwischen seinen Beinen.

»Un wie hast se?«

Der mit ›Köppsche‹ schmiß zwei Karten zurück auf den Tisch.

»Was dei Fraa vorm Bobbes hat!«

»Karo mit dreidreisisch? Schpritz aus!«

Sie begannen die Karten zu dreschen und ließen sich nicht stören. Ich setzte mich zu dem stummen Trinker. Er musterte immer noch reglos seine Bierflasche.

»'n schönen Abend.«

Er drehte seinen Kopf ein wenig, und ich schaute in triefende Augen. Zwischen den Haaren auf seinem linken Arm tanzte eine tätowierte Seejungfrau.

»Was 'n los?« hauchte er mit winziger Stimme.

Die kurzatmigen Postmenschen gingen mir auf die Nerven.

»Kannste dich zufällig an 'nen Mann erinnern, der Ahmed Hamul hieß? Hat hier Säcke geschleppt.«

Er triefte mich noch eine Weile an, schaute dann wieder auf die Flasche.

»Ich arbeit nich mit Ausländern.«

Nur seine Muskeln hielten mich davor zurück, ihm aufs Hirn zu hauen. Es langte mir. Ich stand auf, ging auf die Skatspieler zu, sparte mir das ›Guten Abend‹ und knurrte: »Hört mal zu, Freunde, kennt hier jemand Ahmed Hamul? Wenn ja, soll er die Hand heben und ›ich‹ brüllen!«

Sie glotzten mich an. Ich kam in Fahrt.

»Ja, mein Gott, ist das so schwer? Schwarzhaariger Türke mit Schnurrbart und Segelohren, hat vergangene Weihnachten das letzte Mal hier gearbeitet. Ganz kurz ›ja‹ oder ›nein‹. Ob ihr eure Ferien nicht am Schwarzen Meer verbringen wollt, oder ein Türke 'n Rattenschwanz in der Unterhose hat, interessiert mich nicht im geringsten! Alles klar?«

Einer, mit nach hinten gekämmten, öligen Haaren, legte langsam die Karten weg und erhob sich.

»Bubsche, isch waas net, wer du bist, gell, abber dein Ton gefällt mer net. Besser du machst disch ab, kabiert?«

Er unterstrich seine Rede, indem er mehrmals die zur Faust geballte rechte Hand auf die linke Handfläche klatschen ließ.

Mit schnellem Blick auf die Tür pumpte ich ein bißchen mehr Luft in die Brust und zischte: »Hör mal zu, Briefträger, ob dir mein Ton gefällt oder nicht, will hier niemand wissen, ich hab dir ja auch noch nicht erklärt, was 'n Stück

Seife ist. Alles, was mich interessiert, ist, ob du schon mal den Namen Ahmed Hamul gehört hast.«

Ich versuchte, ihn gefährlich anzusehen. Die anderen beiden warteten gespannt, was passieren würde, belustigt über meine Grimasse. Auf einmal schien die Hütte verdammt eng und still. Nur entfernte Pfiffe von abfahrenden Zügen sickerten durch das Blech. Das Monster vor mir sah auf den Boden, kratzte sich kurz am Bart, ging drei Schritte vor und rammte mir mehrere Pfund in den Bauch.

Kleine, weiße Pünktchen segelten durch die Dunkelheit, tanzten dann wild durcheinander, beschrieben Kreise und Linien. Kirchturmglocken schlugen einen unregelmäßigen Takt dazu. Irgend jemand hatte seinen Güterzug auf meinem Nabel geparkt. Wahrscheinlich war es der, dessen schallende Lache in meinem Schädel dröhnte. Aus der Ferne grölte es: »Seife, hä? Abber kozze wie e Sau!«

Vorsichtig öffnete ich die Augen, sah ein Stuhlbein und eine Pfütze dicht neben mir. Oben drauf ruderten halbverdaute Erbsen. Saures lag auf meiner Zunge. Immerhin, er konnte mir den Magen nicht vollständig rausgerissen haben. Ich versuchte mich zu bewegen. Nach mehreren Versuchen saß ich gegen die Wand gelehnt und erbrach mich von neuem. Dann wühlte ich, immer noch sitzend, nach meinen Zigaretten und steckte mir eine an. Langsam floß das Nikotin in die Adern. Ich genoß es.

Die vier Mammuts sahen mitleidig auf mich herunter.

»Net so Schprüsch, gell! Des möchte mer net!« Nach einer Pause: »Dei Ahmed hat hier geschafft, is aber schon länger här.«

Ich machte den Mund auf, brachte aber nur ein Röcheln zustande.

Nach zwei, drei Anläufen krächzte ich: »Kannte ihn jemand näher ... oder weiß einer, wer ihn näher kannte?«

»Hier kannde den niemand. Aamal kam e Mädsche vorbei, todal ferdisch, un hat gekrische, wo dann de Ahmed wär. Hunnert zu aans, des wa e Nutt, abber wisse tu ischs aach net. Is aach schoh länger här gewese.«

Ich zog mich am Stuhl hoch, schwankte und stolperte dann grußlos zur Tür hinaus. Kühle Luft wehte durch die Halle. Ich schleppte mich zu einer Bank und atmete tief durch. Es dauerte eine weitere Zigarette, bis ich einigermaßen hergestellt war. Zehn nach acht.

Ich beschloß, nach Hause zu fahren, unter die Dusche.

Unterwegs kaufte ich meinem Magen eine Flasche Whisky.

5

Es war ein Anfang nach Maß. Ich wischte mir die letzten Tropfen aus den Ohren und mixte mir einen Whisky-Soda.

Eine Dirne hatte irgendwann einmal nach Ahmed Hamul geschrien. Das wußte ich jetzt.

Ich überlegte, wieviel Prügel ich für eine anständige Auskunft beziehen müßte, und ob ich Bordellbesuche auf die Spesenrechnung setzen könne. Ein weiterer Whisky-Soda beruhigte langsam meinen zerfetzten Bauch. Wenn ich wirklich darauf angewiesen war, die Dirne zu finden, um ein paar Takte über Ahmed Hamul zu erfahren, lag eine endlose Suche vor mir. Auf das Haus Nummer vierundzwanzig in der Sumpfrainerstraße setzte ich keine Hoffnungen. Futt und seine Leute hatten dort schon

43

genug gewütet und offenbar nichts gefunden. Außerdem glaubte ich nicht, daß Ahmed Hamul im Vorgarten seiner Freundin abgestochen worden war. Die Theorie des zufälligen Mordes hatte ich verworfen. Ich ging an den Kleiderschrank, suchte frische Socken und meine Neun-Millimeter-Parabellum. Früher war ich mit ihr in einem Schießkurs. Jetzt lag sie meistens unbenutzt zwischen meinen Unterhosen. Ich schnallte den Schultergurt um und verstaute die Kanone. Wahrscheinlich würde ich sie nicht brauchen. Immerhin, sie konnte Respekt einflößen. Ich zog ein Jackett über und betrachtete die Beule unter der Schulter im Spiegel. Wie ein Neger im Solarium. Vielleicht ein Vorteil, wenn klar war, daß Artillerie in meiner Achsel steckte. Mit einem Schluck Whisky pur verließ ich die Wohnung.

Zum zweiten Mal an diesem Tag schaukelte mich die U-Bahn zum Hauptbahnhof. Dann stand ich am Ende der Rolltreppe und am Anfang einer der Luststraßen, die ich hintereinander nach der Dirne durchsuchen mußte.

Helles, saftiges Neon, Zentnerbusen, orgiastisch grunzende Frauen in Öl, rosa kolorierte Arschberge zogen sich links und rechts die Häuserwände entlang. Vor den roten Plüscheingängen verschiedener Clubs lehnten bleiche, ranzige Männer, um mit markigen Sprüchen die vorbeiziehenden Passanten zu einem Besuch anzuhalten. Stöhnen geschlachteter Tiere, von lauwarmem Discogeplärre untermalt, drang durch kleine, dröhnende Lautsprecher auf die Straße. In Dreier- und Vierergruppen schubsten sich geile Bauernjungen aus dem Umland durch die Straße, Mund und Augen offen bis zum Anschlag; Rentner lugten in abgeblätterte Hauseingänge und leckten sich den Geifer aus ihren runzligen Hautfalten. Ehemänner schauten sich vorsichtig um, ehe sie durch die rosa Schwingtür eines Love-Inns traten, um sich hastig davonzumachen. Ich stand eine Weile da und rauchte. Um mich herum wimmelte es von eingefallenen, weißen Gesichtern, die ihre zerstochenen Adern an die Luft hielten und warteten. Ich betrachtete die ausgemergelten Körper und überlegte, was eine Dirne veranlassen könnte, schreiend in den Bahnhof einzulaufen.

Ein paar glasige Augen schleppten sich zu mir hin. Sie starrten durch mich durch in irgendeine Ferne.

»Eh, Kumpel, hass nich mal 'ne Maak für mich? Is für was zu essen.«

Ich ging zwanzig Meter weiter zu einem Burger, kaufte einen Karton gehackte Kuh, kam zurück, schmiß ihn dem Jungen in die Arme und sah zu, wie er die Pappe aufriß. Senf und Ketchup kleckerten über sein Hemd. Ich setzte mich neben ihn auf den Boden.

»Sag mal, du kennst dich doch aus hier, ne?«

Er drehte seinen trüben Kopf zu mir.

»Bissn Bulle?«

»Nee, bin Türke.«

Skeptisch glitt sein Blick an mir herum.

»Na und? Die nehmen doch jeden.«

»Hör mal, wenn ich Bulle wäre und von dir was wissen wollte, würd' ich dir keinen Hamburger ausgeben, sondern dich in 'ne Zelle stecken, und spätestens nach drei Tagen würdest du deine Großmutter ans Messer liefern.«

Er kicherte dämlich.

»Letzten Freitag ist ein Mann abgestochen worden, heißt Ahmed Hamul, schon mal von gehört?«

»Mhm, kann sein.«

»Zufällig interessiert es mich, wer ihm das Messer in den Rücken gejagt hat.«

»Hab ich gemerkt.«

»Ich such 'n Mädchen, das ihn gekannt hat. Is möglich, daß sie genauso an der Fixe hängt wie du und ihre Zeit hier in der Gegend verbringt. Vielleicht kannst du mir erzählen, wo man sie findet.«

Er kaute eine Weile nachdenklich auf einem Semmelbrocken herum, ließ dabei den Mund offen, manches fiel heraus. Mein Magen beschwerte sich. Ich sah weg, in Gesichter, die zu uns rüber starrten.

»Hasse auch noch 'ne Kippe?«

Ich kramte eine Zigarette raus und gab ihm Feuer. Gierig zog er den Teer ein. Seine Lunge ächzte.

»Na, ja, bis ja in Ordnung, Kumpel. Würd' dir ja helfen, dein Mädchen zu finden. Gibt halt bloß 'ne ganze Menge davon. Is nich so einfach.«

»Was weißte denn so von Ahmed Hamul?«

Er schüttelte den Kopf, setzte eine vielsagende Stirn auf und murmelte: »Nichts, Kumpel.«

In meiner Hosentasche tummelten sich zwei Fünfzigmarkscheine. Einen zog ich raus, hielt ihn gegen das Laternenlicht und ließ ihn sacht knistern. Ein viertel Gramm konnte er damit erstehen, einen guten Schuß.

Plötzlich erwacht, beobachtete er meine Finger.

»'n bißchen weiß ich natürlich schon, vielleicht auch noch 'n bißchen mehr...« Er biß sich in die Lippen, »aber... wie wär's mit 'ner runden Summe?«

Ich steckte mir eine Zigarette an, zog eine Weile, bis die Glut anständig dick war und begann, kleine Löcher in den braunen Schein zu brennen. Als die erste Ecke fiel, schlug er mir auf die Hand.

»Is ja gut, Kumpel, gib mir die Kohle, langt so, ich erzähl's dir ja.«

Ich schob den verrußten Schein zurück in die Tasche.

»Na, dann erzähl mal!«

»Erst die Kohle, is doch klar, oder?«

»Gar nix is klar. Wer sagt mir denn, ob dein Kopf nicht irgendeine Geschichte zusammenbaut. Fang mal an. Wenn's sich einigermaßen anhört, kriegst du den Schein.«

»Bist 'n Arschloch. Hab ich gleich gesehn, daß du 'n Arschloch bist. Überall nur Arschlöcher; die ganze Scheißwelt voll mit Arschlöchern! Ich hab gedacht, du wärst 'n Kumpel, aber du bist 'n Arschloch!«

Irgendwo hatte er recht. Ich bekam Angst, er würde anfangen zu heulen. Am liebsten wäre ich aufgestanden und weggegangen. Fixern die Fixe zu bezahlen, ist kein Anlaß zu Luftsprüngen.

»Jammer nicht rum, hab mein Geld auch nicht auf der Straße gefunden.«

Er grummelte vor sich hin. Dann: »Okay, was soll's. Viel weiß ich auch nicht, hab nur einiges gehört. Der tote Kanake hatte mit Stoff zu tun; glaub, er war schwer im Handel, kann ich aber nich beschwören. Er machte keinen Straßenverkauf, jedenfalls nich hier. Hab mal 'n Typen getroffen, der hat was mit Hamul gequatscht. Als er tot war, hat jemand weise Sprüche gekloppt, nie versuchen, 'n eigenes Geschäft zu drehen, 's gäb immer welche, die 'ne Etage höher sitzen. So was Ähnliches jedenfalls. Na ja, viel mehr weiß ich nicht, möcht ich auch nicht wissen, is schlecht für die Gesundheit.«

Ich dachte an seine Gesundheit.

»'nen Namen hat der Typ nicht, der irgendwas mit Hamul gequatscht hat?«

»Hey, selbst wenn du mir das Doppelte...«

»Is gut«, unterbrach ich ihn, »über das Mädchen kannst du mir wahrscheinlich auch nichts sagen, was?«

»Nee, an der Fixe hängen viele. Wenn se anschaffen ging, mußte 'n paar Häuser weiter fragen, die werden aber kaum Lust zum Interview haben.«

Ich drückte ihm den zerlöcherten Schein in die Finger, rappelte mich hoch und ging die Straße runter. Es war eine Menge los im Viertel. Ich ortete eine lila schimmernde Bar. Irgendwo mußte ich anfangen. Millys Sex-Bar. Das A von der Bar flackerte unruhig. Vorhänge verdeckten die Sicht durchs Glas, auf dem ›Spaß bis 4 Uhr früh‹ zu lesen war.

Ich stieß die Tür auf und ging unter in Lila. Alles, Tapete, Tische, Stühle, Theke, Gläser, Teppich, Bilder, Kissen, Lampenschirme, selbst die Menschen leuchteten lila. Viele waren es nicht. Außerdem schien mehr als die Hälfte Personal zu sein. Abseits in dunklen Ecken saßen ein paar schwitzende Herren mit gelockertem Schlips bei leichtbekleideten Damen in Lila. Schwüles Gitarrengeklimper untermalte das Halbdunkel.

Ich watete durch weiche Teppiche zu einem Tisch und nahm Platz auf Schaumgummikissen in Seide. Hinter der Theke stand Milly, jedenfalls sah sie so aus. Vor vielen Jahren mußte sie eine Bombe gewesen sein. Heute konnte keine Farbe die tiefen Falten verbergen. Wasserstoffblond hingen die Haare neben dem schlabbernden Doppelkinn. Ein Stück Leopard betonte ihre Fettröllchen über der Hüfte, stützte den schlaffen Busen und vermittelte den Eindruck einer abgetakelten Dame, die sich bei der Größe ihres Pelzmantels verschätzt hat. Trotzdem, sie war der Boss und rief den Mädchen mit dröhnender Stimme Befehle zu.

Ich hockte im lila Plüsch und kam mir ziemlich behämmert vor. Dann ein Luftzug. Kurz danach strichen dunkle Dauerwellen über meine Stirn und billiger, süßer Dampf stieg in meine Nase. Eine halbnackte hessische Sünde setzte sich neben mich und ließ gekonnt angeklebte Wimpern klimpern.

»Na, mein wilder Scheich, darf ich dir Gesellschaft leisten?« hauchte sie mit Hingabe. Die Worte flossen wie Camembert über den Tisch.

»Mhm, was muß ich tun, um einen Scotch mit Eis zu kriegen?«

»Nichts, warte kurz, ich bin dein williger Schwan.«

Sie stand auf, ließ ihren schmalen Hintern leicht zittern und glitt mit kurzen, dicken Fingern, als wären es lange schmale über meine Schulter. Ich bezweifelte, daß hier schon jemand von Ahmed Hamul gehört hatte, und beschloß, nach dem Whisky das Haus zu wechseln. Eine feuchte Hand schob sich um meinen Hals und fummelte an ihm herum.

»Hier, mein wilder Scheich«, säuselte sie. Ich nahm die Hand von meiner Kehle und schubste den Schwan auf den Stuhl.

»Aber, aber, wilder Scheich, nicht so stürmisch, wir haben doch Zeit, nicht?«

Der ›wilde Scheich‹ hatte es ihr angetan. Offensichtlich reichte ihr Grips nicht zu einem zweiten, ähnlich dämlichen Titel. Sie sah mich schief von der Seite an. Mit halb geschlossenen Lidern ließ sie ihren Zeigefinger langsam um den Nabel kreisen. Da man die Stoppeln von abrasierten schwarzen Bauchhaaren sah, hatte das ganze nichts Erotisches. Es langte mir ohnehin.

»Hör mal zu, mein häßliches Entlein, ich bin nicht hier,

49

um an deinen Ohrlappen zu knabbern oder lauwarme Sprüche zu machen. Ich suche jemand, der einen Mann namens Ahmed Hamul kennt. Ist reiner Zufall, daß ich zuerst in eure lila Waschküche getrottet bin, aber nun bin ich hier und frage: kennst du einen Ahmed Hamul?«

Sie hatte Schwierigkeiten zu folgen. Nachdem sie alles geordnet hatte, kam das unausweichliche: »Bulle?« Endlich tropfte kein Sirup aus ihrem Mund.

»Nein, kein Bulle.«

Ich warf ihr meine Lizenz hin. Sie las alles langsam durch.

»Happy birthday, Türke!«

So blöd war sie doch nicht.

»Kann man ja gratulieren. Bist nur 'n mieser Schnüffler, he?«

»Jeder hat seinen Job, mußt du doch wissen.«

Das war nicht nett. Es war mir egal.

»Also, Ahmed Hamul, schon mal gehört?«

Sie sah mich nicht so sauer an, wie ich erwartet hatte.

»Nee, hab ich nicht.« Pause. »Aber wenn ich dir 'n Tip geben soll, hau hier mal besser ab, die Chefin mag's nicht, wenn so Typen wie du den Betrieb aufhalten. Warst zwar nicht besonders freundlich, hab trotzdem nichts gegen dich. Deshalb sag ich dir das.«

»Warum hat die Chefin was gegen zahlende Kunden?«

»Du bist nur 'n Türke, steht sie nicht besonders drauf, und wenn du nur trinkst, lohnt sich's nicht.«

»Und wer soll mich rausschmeißen? Die Leoparden-Oma?«

Sie sah zur Theke, lächelte und flüsterte mir ins Ohr:

»Hinten sitzen ein paar von ihren Freunden, die sind nicht ohne.«

Irgendwie fing ich an, sie zu mögen. Ihr Gesicht war plötzlich nicht mehr dümmlich, und die billige Nachahmung einer liebestollen Haremsdame hatte sie abgelegt.

»Soll ich dir etwas sagen, Entlein, du hast in natura 'ne große Portion mehr verführerischen Charme als hinter der schmierigen Maske von Tausendundeinernacht.« Sie schenkte mir einen außergeschäftlichen Augenaufschlag, den ich bis in die Zehenspitzen spürte.

»Das hoffe ich doch.«

»Wie wärs denn, wenn wir noch ein Glas trinken?«

Sie sah mich kurz an, nestelte an ihrer Nase und flüsterte: »Ein andermal, sie schaut die ganze Zeit rüber. Ich hab keine Lust, Ärger zu kriegen, geh jetzt.«

»Okay, wo zahl ich den Whisky?«

»Vorne bei ihr.«

»Also gut, bis demnächst, Entlein.«

»Bis demnächst, wilder Scheich«, murmelte sie.

Ich kämpfte mich durch den Teppich zur Theke. Milly stand ans Holz gelehnt, eine goldene Zigarettenspitze zwischen den glänzenden, roten Lippen.

»Was macht der Scotch?«

Sie musterte mich grimmig und knurrte dann an der Zigarettenspitze vorbei »Achtzehn, der Herr.«

Ich strich den zweiten Fünfzigmarkschein auf der Theke glatt. Während sie das Geld wechselte, brummte ich: »Letzten Freitag is hier in der Nähe 'n Typ unters Messer gekommen. Hieß Ahmed Hamul. Ich such jemand, der ihn kannte.«

Sie sah mich schnell an.

»Ich kenn keine Hamuls.«

Sie schob mir das Wechselgeld hin.

»Und ich mag nicht, wenn jemand in meinem Laden

rumschnüffelt, schon gar nicht, wenn er 'n ausgebeulten Anzug trägt. Eigentlich sollte ich dich festhalten und die Polizei rufen, aber dann würden wahrscheinlich zehn Türkenbälger ihren Papa verlieren. Ich bin kein Unmensch, also verschwinde.«

Wenn man sie in diesem lila Dampf erkennen konnte, war meine Kanone auffälliger verstaut als ich dachte.

»Ich hab 'nen Waffenschein und 'ne Schnüffellizenz, kein Anlaß zu kräftigen Sprüchen. Versüßt sich eines der Mädchen ihren lila Alltag mit sauren Spritzen?« Erst sah es so aus, als wollte sie mir ihre langen, roten Fingernägel in die Backe hauen, aber dann drückte sie wie nebenbei auf einen kleinen weißen Knopf neben dem Bierhahn. Ich steckte schnell das Wechselgeld ein und drehte mich zur Tür mit der Aufschrift PRIVAT. Zwei, drei Sekunden verstrichen, bis sie sich langsam öffnete. Heraus glitten drei nadelgestreifte Kleiderschränke mit ähnlichen Beulen wie unter meiner Schulter. Ihre Blicke glitten durch den Raum. Dezent kamen sie an die Bar und umringten mich wie alte Freunde. Der kleinste von ihnen trug eine senfgelbe Krawatte mit kleinen, hellgrünen Elefanten. Er sah zu mir runter, legte seine Pranke auf meine Schulter und knetete sie durch. Ich biß die Zähne zusammen.

»Na, Sportsfreund, ich habe gehört, dir fällt der Abschied schwer.«

Er grinste mich dreckig an. Drei seiner Zähne funkelten golden.

»Es gibt 'ne Menge nette Lokale in der Stadt, muß ja nicht ausgerechnet dieses sein, oder?«

Alle drei zusammen brachten etwa fünfmal soviel auf die Waage wie ich. Trotzdem bekam ich Lust, ihnen das glattrasierte Kinn einzutreten.

»Wieviel von so 'nem Goldzahn zahlt denn die Kasse?«

»Wieso?«

»Bin am überlegen, ob ich dich zu 'ner Runde einlade.«
Alle drei lachten.

»Okay, starker Mann, die Vorstellung ist zu Ende. Dort
hinten ist die Tür, steht ›Gesundheit‹ drauf.«

Er deutete mit dem Daumen zum Ausgang. Während
ich noch dabei war, mir meine Parade auszudenken,
packten die anderen zwei meine Arme und trugen mich
hinaus auf die Straße. Ich kam mir vor wie ein Kind, das
man in die Badewanne hebt. Einer murrte: »Mach, daß du
weiterkommst, sonst breche ich dir deine verfluchte Tür-
kennase.« Ich zeigte auf etwas hinter ihnen und machte ein
entsetztes »Oh«. Es funktionierte. Sie drehten sich um
und schauten auf die kahlen Häuserwände.

»Was solln da sein?«

Ich tippte auf die Schulter des Sprechers. Er drehte den
Kopf, und ich knallte ihm meine Faust ins Gesicht. Das
Nasenbein knackte trocken. Er grunzte und klatschte aufs
Pflaster.

Sein Partner sah mich ungläubig an, besann sich aber
und wollte mir nun das Hirn zermatschen. Ich sah, wie
sich die Muskeln unter dem engen Jackett spannten.
Langsam ging er auf mich zu, ließ die Finger knacken und
leckte sich die Lippen. Das Neonlicht warf Schatten auf
sein Gesicht, und das Weiß der Augen war sichtbar.
Kriegte er mich zu fassen, hatte ich wenig Chancen, heil
davonzukommen.

Er hielt inne und musterte mich wie ein Stück Kotelett.
Ich schnellte auf ihn zu, blieb abrupt stehen, duckte mich
und ließ seine rechte Betonhand voll ins Leere prügeln.
Ein Luftsprung, und ich kriegte seinen Arm zu fassen. Ich

warf mich mit meinem ganzen Gewicht dagegen und stemmte ihn dann gen Himmel. Laut krachten seine Knochen. Er brüllte auf vor Schmerz. Die gesunde Linke schlug blind in meine Richtung. Zweimal wich ich aus, bis mir eine Ladung frontal das Kinn sprengte.

Ich torkelte rückwärts den Bordstein entlang und donnerte dann gegen einen Laternenpfahl. Langsam rutschten mir die Beine weg. Der Schläger schlurfte in meine Richtung. Sein rechter Arm schlenkerte unnatürlich durch die Luft. Ich blieb sitzen und wartete, bis er vor mir stehenblieb.

Er zischte: »Kleine türkische Ratte, sowas machst du nie wieder!«

Ich machte eine Rolle seitwärts und harkte ihm meine Schuhspitze in die Kniekehle.

Es gab ein dumpfes Geräusch, als er auf dem Boden aufschlug. Wie ein gefällter Baum lag er da. Ich stürzte auf den gesunden Arm und hebelte ihn über meinen Schenkel.

»So, Großer, bleib ganz ruhig, oder du kriegst noch 'n zweiten Gips, das versprech ich dir!«

Er schüttelte sich, und ich hatte Mühe, den Arm festzuhalten, aber dann gab er auf, und ich konnte verschnaufen. Der kaputte Knochen mußte verdammt weh tun. Die Masse Goliath unter mir fing kläglich an zu wimmern.

»Hör mit dem Gejaule auf, wenn du artig bist, laß ich dich los. Vorher noch 'ne Frage, kennst du einen Ahmed Hamul?«

Er biß die Zähne zusammen und preßte: »Nee, nie gehört.«

Ich hebelte noch ein bißchen.

»Wirklich nie gehört?«

Er stöhnte laut auf und brüllte: »Nee, verdammt nochmal, kann ich doch auch nix dafür.«

In dem Moment ging die Tür auf, und ein Schwarm hellgrüner Elefanten glotzte verdutzt.

Ich hatte keine Lust auf noch mehr Knochenbrüche. Ich ließ den gequälten Arm los und stand auf. Goldzahn betrachtete das Elend. Plötzlich schnellte seine Hand unters Jackett. Ich aber war schneller, hatte meine Kanone schon aus der Achsel gezogen.

»Laß gut sein! Hol die Pfote langsam wieder raus, sonst is 'n Loch drin.«

Er verzog den Mund und gehorchte.

Jetzt erst bemerkte ich eine Menge Publikum, das wohl schon länger aus sicherer Entfernung rübergaffte. Es war nicht der richtige Ort, um ungestört mit dem Schießeisen rumzufuchteln. Also steckte ich es wieder ein. Auch mein Gegner nahm die Zuschauer wahr und zeigte sein goldenes Grinsen.

»Du hättest Eintritt verlangen sollen. Ich weiß nicht, wie du's geschafft hast, die zwei in Klump zu hauen, aber es muß ein großartiges Schauspiel gewesen sein.«

In der Ferne hörte man eine Polizeisirene, die näher kam.

»Pack deine Freunde zusammen. Gleich sind die Bullen hier und stellen unangenehme Fragen.«

Er sah mich belustigt an.

»Danke für den Tip, wär ich nicht drauf gekommen. Bist 'n kluges Köpfchen. Paß auf, daß nicht jemand aus Versehen Blei reinballert.«

Mir langten die wilden Männer mit großer Klappe. Bevor ich wegging, sah ich noch einmal nach dem Jungen, dem ich den Kopf demoliert hatte. Seine Nase war blutender Brei, der langsam die Backe runterlief und aufs Pflaster tropfte. Er röchelte. Ich rüttelte an seinen Schultern. Als er die Augen aufschlug, brummte ich: »Merk dir, mit Gästen aus dem Ausland geht man freundlich um. Das nächste Mal reiß ich dir die Ohren ab.«

Er wollte was sagen, spuckte aber nur roten Rotz.

Ich verließ das Schlachtfeld und ging ziellos die Straße hinauf.

Ein grünes Polizeiauto donnerte flötend an mir vorbei. Ich war sicher, sie würden nur eine charmante Milly antreffen, die mit Erstaunen ausrief: »Aber Herr Kommissar, hier war alles ruhig, glauben Sie mir!«

Ich steuerte die nächste Fast-Food-Tür an und bestellte drei Pappbecher Bier. Mein Kinn war anständig ramponiert, und das Mäuschen hinter der Theke verzog angewidert sein Gesicht.

»Ist nur Schminke, Schwester. Ich komm drüben vom Theater, hab grad Pause.«

Sie lachte.

»Oh, tut mir leid, sieht ziemlich echt aus. Was wird denn gespielt?«

»Shakespeares ROMEO UND JULIA, als moderner orientalexistentialistischer Gegenentwurf zu herkömmlichen traditionell europäischen Interpretationsmodellen.«

Sie nickte ernst und meinte: »Ah, ja.«

Nach einer Pause: »Und was passiert da so?«

»Romeo trifft Ali Baba und tauscht Julia gegen die vierzig Räuber.«

»Mhm, und dann?«

»Julia verliebt sich in die vierzig Räuber, die vierzig Räuber wollen mit Romeo Kinder machen, und Ali Baba steht im Regen. Am Ende vertragen sich alle, schwimmen im Nil einer neuen Zukunft entgegen und singen ›Fußball ist unser Leben‹.«

Sie sah mich mit großen Augen an. Dann drehte sie sich um und holte mein Bier. Als ich das Geld in die Schale legte, fragte sie: »Und weshalb das blutige Kinn?«

»Um das Publikum zum Nachdenken zu bringen.«

Ich ließ sie stehen, balancierte die Bierbecher an einen Tisch, setzte mich und steckte mir eine Zigarette an.

Es war mächtig Betrieb im Laden. Kurzbehoste Amerikaner drängten sich um die kleinen, grünen Plastiktische, ständig bemüht, ihre Münder zum Lächeln zu verzerren. In der Ecke stand eine Musikbox. Mick Jagger hockte drin und blökte ›You can't always get what you want‹. Ich habe was gegen gegrölte Lebensweisheiten von Rock-Opas.

Das Bier begann sanft in meinem Hirn zu wirken. Ich überlegte, ob ich nach Hause ins Bett gehen sollte. Meine Suche nach der Dirne wurde doch immer aussichtsloser; außerdem war mir die Lust auf Balgereien mit Urkörpern vergangen.

Ich beschloß, mein Glück noch bei den Straßendirnen zu versuchen. Mehr als angespuckt konnte ich dabei nicht werden.

Doch zuerst ging ich auf die Toilette. Jemandem war es nicht gut gegangen. In der Ecke dampfte Erbrochenes. Mein Magen zog sich zusammen, und ich mußte tief durchatmen, um nicht direkt daneben zu kotzen. Ich pinkelte schnell, wischte mir noch vor dem Spiegel angetrocknetes Blut vom Kinn und verließ Klo und Kneipe.

Zehn vor zwölf. Inzwischen war der Himmel stockdunkel. Ich lief durch eine ruhige Seitengasse. An mir vorüber schlichen nur ein paar schüchterne Freier, die sich nicht trauten, im Rampenlicht die Frage nach Preis und Leistung zu stellen. Bei einer Pizzeria lugte ein weißer Lackschuh aus der Häuserwand. Ich ging drauf zu. Aus einem Ventilator strömte Duft von warmem Teig auf die Straße. Hier hätte ich mich auch hingestellt.

In den hochhackigen Lackschuhen standen lange, weiße Beine; um Bauch und Busen wand sich eine grell-türkise Netzkonstruktion; eine ebenfalls türkise Schleife band das strähnige, blonde Haar zum Zopf zusammen.

Bevor ich ein Wort loswerden konnte, rotzte sie: »Weiter, weiter, ich nix Ficki-Ficki mit dir, habe meine Prinzipien«, und machte dabei eine Handbewegung wie ein Polizist, der den Verkehr regelt.

»Wieso Ficki-Ficki, hab nur 'ne Frage.«

Das interessierte sie überhaupt nicht.

»Hau ab, Mann, fahr deinen Kümmelschwanz ein und mach die Fliege, du hast hier nix verloren!«

Wie es aussah, hatte sie nichts mit Ahmed Hamul zu tun gehabt. Da die Arme weiß und glatt waren, konnte sie auch kaum Einblick in die Fixerszene haben. Ich trottete weiter, nahm mir vor, noch zweimal zu fragen, und hoffte, nichts zu erfahren, was mich daran hindern könnte, danach in mein Bett zu gehen. Leider kam alles anders.

Als ich den nächsten Hauseingang ansteuerte, wippte mir ein kurzer Netzstrumpf entgegen. »Na, Süßer, siehst so einsam aus.«

Ihr Busen drohte den schwarzen Satin zu sprengen und mir ins Gesicht zu platschen. »Bin ich auch. Such 'n Mädchen, die einen gewissen Ahmed Hamul kannte. Namen schon mal gehört?«

Sie verschränkte die Arme und betrachtete mich mit verwunderter Abscheu.

»Seit wann haben die Bullen denn 'ne Fremdenlegion?«

»Bin kein Bulle, bin Privatdetektiv.«

»Ah, ja. Dann zisch ab, hältst nur den Betrieb auf!«

Ich überlegte, ob die zweiunddreißig Mark in meiner Tasche sie beeindrucken könnten.

»Ich hab dreißig Mark. Ist nicht viel, aber wenn du mir 'nen Satz über Hamul sagen kannst, geb ich sie dir.«

Sie knabberte an ihren grünen Fingernägeln und sah mich abschätzend an.

»Kenn deinen Ahmed doch gar nich.«

»Wurde letzten Freitag hier in der Nähe umgebracht.«

»Ach, der!«

»Ja, der.«

»Laß erst mal die Scheine sehen, vorher weiß ich gar nix.«

»Und nachher?«

»Wird sich zeigen.«

Da ich nichts sagte, lamentierte sie: »O Gott, Mann, ganz schön knickcrig, he? Bei läppischen dreißig Mark gehste ja wohl kein Risiko ein. Das verdien ich, wenn ich einmal die Backen zusammenkneife.«

Sie hatte recht. Außerdem war es nicht mein Geld. Ich drückte ihr die drei Zehner in die Hand. Sie schob die Scheine geübt unter den Strumpfhalter.

»Der Typ, den du meinst, hing, glaube ich, öfters in HEINIS HÜHNERPFANNE rum. Is'n Schuppen paar Straßen weiter. Ich bin da manchmal.«

Ich hatte nichts halb so Konkretes erwartet.

»Wieso nimmst du an, es war der Typ, den ich suche?«

»Sonntagabend hab ich dort gegessen, und 'ne Freundin

hat mir erzählt, sie haben 'nem Türken, der immer zum Flippern kam, ein Messer in den Rücken gehauen.«

»Wer ist sie?«

»Och, irgend jemand wirds schon gewesen sein.«

»Die Freundin, woher hat sie das?«

Ein kleiner Mann mit Hut trippelte die Hauswand entlang auf uns zu.

»Hat's glaub ich in der Zeitung gelesen. So, es hat sich ausgeplaudert, mehr weiß ich nicht, außerdem kommt Kundschaft!«

»Na gut, schönen Abend noch.«

Sie rief mir noch hinterher, mit ein bißchen mehr Geld ließe sich bei Gelegenheit eine nettere Zusammenkunft arrangieren. Ich gab vor, sie nicht zu hören.

Ich kannte HEINIS HÜHNERPFANNE, wenn auch bisher nur von außen. Jetzt stand ich davor und betrachtete die Preise der Gerichte. Als ich in die Kombination von Restaurant und Snackbar eintrat, wehte mir der Gestank von vergammeltem Fett um die Nase. Ich setzte mich an einen Wandtisch, von wo aus ich alles überblicken konnte. An der Decke hingen alte Faschingsgirlanden. Sonst war der Saal eintönig hellbraun. Rustikale Holzmöbel standen ungeordnet herum. Über der Theke röhrte ein abgehackter Hirschkopf. Die Tische waren kaum besetzt. Gebräunte Männer in weißen Jacketts unterhielten ihre derzeitigen oder zukünftigen Strichmädchen mit wilden Abenteuern. Einzelne Dirnen saßen über einem Korn. In der Ecke rülpste ein Penner. Der lange, magere Kellner kam schnurrbartzwirbelnd auf mich zu. Er wollte wissen, was der Herr wünsche. »Scotch«, meinte ich, »der Herr wünscht Kaffee und Scotch«, und er eilte wieder weg.

Ich musterte die Frauen. Eine der hübscheren dämmerte über einem glänzenden Hühnerschenkel.

Dann kam der Kellner, Tasse und Glas schwingend, ließ beides galant auf den Tisch gleiten und schnurrte: »Wünscht der Herr auch zu speisen?«

Er gehörte eher in die Hotelbar vom Plaza, wo er Messebesuchern die Hummerbeine vorkauen könnte, als in diese fettige Schnapsschänke.

»Danke, habe schon gegessen.«

Er lächelte und glitt davon.

In der Ecke stand jener Flipper, auf dem Ahmed Hamul öfters gespielt haben mußte. Vorausgesetzt, dreißig Mark waren dem Netzstrumpf wirklich zu wenig gewesen, um die Phantasie zu bemühen.

Ich zündete mir eine Zigarette an und ging zum Flipper. Flash Gordon jagte, gefolgt von hundert Superfrauen, über die Glasplatte. Ich spielte mit den beiden Markstükken, die mir geblieben waren. Wie ich Kaffee und Scotch zahlen sollte, wußte ich nicht.

Ich steckte Geld in den schmalen Schlitz, drückte einen roten Knopf und drehte mich um. Der Flipper polterte ›oh, yes‹. Das Mädchen mit dem Teller voll Huhn sah kurz auf und warf einen ungläubigen Blick durch den Saal. Ich schoß die Kugel in das blinkende Lichtermeer, sie bollerte durch Gummi und Plastik. Ich ließ sie rollen und ging zu dem Mädchen ohne Appetit.

»Tschuldigung, darf ich mich zu Ihnen setzen?«

Sie schaute mich an, als hätte ich Mundgeruch: »Muß das sein?«

»Nur kurz, ich habe für Sie eine Nachricht von Ahmed … er ist nicht tot«, flüsterte ich.

Es war mit verbundenen Augen ins Schwarze getroffen.

Man hätte eine mittelgroße Wassermelone in ihren aufgerissenen Mund schieben können. Ich fühlte mich wie ein Lottoschein mit sieben Richtigen.

»Ja... ja... setzen Sie sich bitte...«, stotterte sie und rückte mir einen Stuhl zurecht.

»Wer sind Sie? Und... was reden Sie da?«

Ich setzte mich umständlich und überlegte fieberhaft, was nun folgen könnte.

»Ich bin ein Freund von Ahmed. Er hat mich gebeten, Ihnen etwas zu überbringen.«

Ich schaute mich um. Zum Glück saß jemand am Nebentisch.

»Ich erkläre Ihnen alles, aber nicht hier. Wissen Sie einen Ort, wo wir ungestört sind?«

»Natürlich, ja... wir können zu mir gehen, das ist nicht weit, aber... gut, gehen wir, ich bin ein bißchen durcheinander... wissen Sie, es ist...«

»Schon gut«, unterbrach ich sie, »zahlen wir und gehen.«

Ich winkte dem Kellner, verlangte die Rechnung und erinnerte mich, ich hatte meine letzten zwei Mark in den Flipper geworfen.

»Tschuldigen Sie, ich habe mein Geld vergessen, könnten Sie mir Kaffee und Scotch auslegen?«

»Natürlich.«

Während der Kellner die Rechnung brachte, suchte sie nervös in einem Stück Krokodil nach ihrem Geldbeutel. Sicherlich wäre der Kellner gerne ein »Hat es Ihnen geschmeckt« losgeworden. Statt dessen betrachtete er kummervoll den unberührten Teller und ließ den Eindruck entstehen, er sei persönlich getroffen. Natürlich war es ihm schnurzegal. Seinem mageren Körper nach zu urteilen, mochte er die triefenden Hühnerkeulen selbst nicht besonders. Endlich fand sie ihr Geld und fischte mit zittriger Hand einen Zwanzigmarkschein aus der Börse.

»Mein Kaffee mit Scotch kommt noch dazu.«

Kurz huschte Verwunderung über seine Augen. Er hielt mich ohne Zweifel für einen Freier und war erstaunt über eine Dirne, die ihre Kundschaft zum Kaffee einlud.

Während er das Geld wechselte, holte ich meine Zigaretten und schüttete den inzwischen lauwarmen Whisky hinunter. Als ich zurückkam, steckte sie gerade Münzen und Scheine in die Börse. Ich hatte Ahmed Hamuls Freundin in kürzester Zeit ohne Hilfe gefunden und kam mir gut vor. Daran muß es wohl gelegen haben. Ich sah ohne Erstaunen zu, wie sie vierzehn Mark Wechselgeld einstrich.

Die Tür von HEINIS HÜHNERPFANNE fiel zu, und wir standen auf der Straße. »Ich wohn hier im Haus«, meinte sie und stieß zwei Meter weiter eine vergammelte Haustür auf. Eine flackernde Neonröhre beleuchtete schwach das Treppenhaus. Stumm ging sie vor mir die Stufen hinauf. Wahrscheinlich beschäftigten sie viele Fragen, und sie wußte nicht, wo und wie sie anfangen sollte. Mir war das nur recht. Ich hätte sowieso keine Antwort gewußt.

Im zweiten Stock angelangt, erfuhr ich ihren Namen. Er stand in handgeschriebenen Druckbuchstaben über dem Klingelknopf. HANNA HECHT. Hanna Hecht schloß die Tür auf und knipste das Licht an. Wir standen in einem winzigen Vorzimmer auf weißem Flokati. Abgesehen von einem blauen Telefon stand das Zimmer leer. Der rosa Lampion an der Decke schaffte schummeriges Halbdunkel. Man hatte das Gefühl, in lauwarmem Kakao zu schwimmen.

Es gab zwei Türen. Eine mußte in den Schlaf- und Arbeitsraum von Hanna Hecht führen. Sie öffnete die andere, die private.

Vier Mauern, an denen sich Kochecke, Spüle und Ikeamöbel reihten. An der Tapete hingen Pferdebilder, ein rosa-beiges Plakat mit Herzchen und tanzenden Kindern und die sauberen Köpfe irgendeiner Popgruppe. Das Regal in der Ecke war gefüllt mit Setzkastenkleinkram, Pferdebüchern und einem Radiowecker. Alles Habseligkeiten eines Cola gurgelnden Teenagers, weniger die einer fixenden Dirne.

»Setzen Sie sich. Wollen Sie was trinken?«

»Gerne.«

»Ich hab Martini und Wodka.«

»Ein Wodka wär schön.«

»Eis?«

»Gerne.«

Während sie den Kühlschrank aufmachte und Eis klopfte, konnte ich sie genauer betrachten. Sie war groß, mit langen Beinen, die in Jeans steckten. Wenn sie etwas mehr essen würde, hätte sie eine gute Figur. Ihr Gesicht war von vielen Spritzen ausgemergelt und gelblich, die blonden Locken dünn und künstlich. Ich überlegte, welcher Art die Beziehungen zwischen ihr und Ahmed Hamul gewesen sein könnten.

Sie stellte den Wodka vor mich hin, setzte sich mir gegenüber, steckte sich eine lange Filterzigarette an und musterte mich unruhig.

»Sagen Sie, was... was wissen Sie von Ahmed?«

Mir fiel keine anständige Lüge ein. Ich wußte auch nicht, ob mir das weiterhelfen würde. Ich platzte mit der Wahrheit heraus.

»Ich habe Sie vorhin belogen. Ahmed ist tot.«

Diesmal riß sie nicht den Mund auf, sondern kniff die Lippen zusammen. Ich bekam Angst, sie würde sie zerbeißen. Ihre Finger zerbrachen die Zigarette und krampften sich um die Tischkante.

»Tut mir leid, aber ich wußte keinen anderen Weg, um Ihnen ein paar Fragen stellen zu können. Ich bin Privatdetektiv, und die Familie von Ahmed Hamul hat mich beauftragt, seinen Mörder zu finden.«

Zitternd am ganzen Körper stand sie auf, starrte mich eine Zeitlang wie eingefroren an und preßte ein »Hau ab, du Sau« durch die Zähne. Ich hatte die Innigkeit der Beziehung unterschätzt. Im nachhinein gefiel mir der Weg zum Gespräch über ein paar anständige Lügen sehr viel besser. Dazu war es leider zu spät. Haß flackerte in ihren Augen, und tatsächlich wäre ich am liebsten gegangen. Statt dessen nahm ich einen kräftigen Schluck Wodka und brummte: »Jetzt mach aber mal 'n Punkt. Ich will nur 'n paar Sachen fragen. Wenn ich ehrlich gewesen wäre, hättest du mir keine Minute zugehört. Du meinst doch auch, der Mörder soll gefunden werden, oder? Über Ahmed Hamul weiß ich bisher nur, er hatte Stoff und Segelohren. Das ist nich besonders viel, um ...«

»Hau ab, hab ich gesagt! Mich interessiert das 'n Scheiß!«

Ich erinnerte mich, ihr gesagt zu haben, ich hätte ihr etwas von Ahmed zu überbringen. Der Stoff mußte sie scharf gemacht haben, nicht, daß da jemand plötzlich wieder lebte.

»Nur ein paar Fragen, dann geh ich sofort, okay?«

Das Eis wich aus ihrem Gesicht, und sie lächelte mich sogar ein bißchen an.

»In Ordnung, muß nur schnell mal aufs Klo.«

Sie trippelte hinaus auf den Flur. Ich kapierte gar nichts, strengte mich auch nicht besonders an, sondern nippte an dem billigen Wodka und legte mir die Fragen zurecht.

Nebenan gurgelte die Klospülung. Wenig später kam Hanna Hecht zurück. Sie lächelte immer noch, inzwischen recht blöde.

»Also gut, was willste wissen?«

»Zuerst interessiert mich, wieweit Ahmed Hamul im Heroingeschäft mitgemischt hat.«

»Hat er das?«

Sie spitzte spöttisch den Mund.

»Och, nicht so, Mädchen. So viel Zeit haben wir nicht.«

»Nee?«

Sie sah kurz an mir vorbei, und endlich kapierte ich. Doch es war schon zu spät. Ich drehte mich langsam um und glotzte verblüfft auf die offene Tür. Im Rahmen stand schnurrbartzwirbelnd der Kellner aus HEINIS HÜHNERPFANNE. Er lächelte süßlich. Mir wurde einiges klar. Es hatte ihn nicht gewundert, Hanna Hecht für mich bezahlen zu sehen, sondern, daß ich glaubte, sie habe eine eigene Rechnung. Daher das viele Wechselgeld.

Der galante Kellner war Hannas Zuhälter und kam natürlich für ihre Rechnung auf. Im anderen Zimmer mußte eine Klingel sein, um ihn in Notfällen herbeizurufen.

Ich kam mir dämlich vor.

»Sehr richtig. So viel Zeit haben wir nicht.«

Er griff langsam in die Tasche und zog eine schwarze Pistole heraus.

»Was hat denn unser Freund auf dem Herzen, Hanna?«

»Hat mich angeschwindelt, der Arsch. Ahmed is mausetot. Der da is'n Schnüffler und arbeitet für Ahmeds Familie. Er hat mich hier hoch gelockt, um mir 'n paar Fragen zu stellen. Das ist alles.«

Mittlerweile war ihr Gesicht nur noch eine Grimasse, die mir keinen Blick mehr gönnte, sondern stur den Boden anstierte.

»Er hat also auch keine Päckchen von Ahmed?«

»Quatsch.«

»Nun gut, dann werden wir den jungen Mann jetzt an die Tür begleiten und ihn freundlich, aber bestimmt bis auf weiteres des Hauses verweisen.«

Er winkte mir mit der Pistole aufmunternd zu.

»Wieso stört es den Haushalt so sehr, wenn ich ein paar Fragen loswerden will?«

»Fragen, mein Freund, stören immer, und wenn man ihnen aus dem Weg gehen kann«, genüßlich strich seine Hand über das schwarze Eisen, »macht man das im allgemeinen auch. Außerdem, ich persönlich lehne Menschen, die mit dem Tod ihren Scherz treiben, ab.«

»Moralische Bedenken in Ehren, aber...«

»Schluß mit dem Gerede. Ich habe nicht die Zeit und auch nicht das Bedürfnis, Ihnen Anstand beizubringen, mein Freund. Stehen Sie jetzt langsam auf und kommen Sie her.«

Ich erhob mich wie befohlen und ging zu ihm hin. Plötzlich stieß er mir die Pistole in den Bauch, griff unter mein Jackett und fummelte die Parabellum heraus. Dann schubste er mich gegen die Wand.

»Tut mir leid, nur eine Vorsichtmaßnahme. Damit Sie nachher nicht auf dumme Gedanken kommen und glau-

ben, es wäre ein leichtes, noch einmal zurückzukehren.«
Er öffnete die Kanone, ließ das Magazin auf den Boden
fallen und warf sie mir zu.

»So mein Freund, jetzt gehen wir artig durch die Tür
und schön ruhig die Treppe hinunter.«

Ich hörte noch, wie Hanna Hecht, diesmal für sich, Eis
klopfte. Dann trottete ich, vom höflichen Kellner gefolgt,
durchs Treppenhaus runter auf die Straße.

Er warnte mich noch vor gewissen Dingen, die meiner
Gesundheit schaden könnten, verabschiedete sich danach
in aller Form und verschwand eilig in HEINIS HÜHNER-
PFANNE.

Es war kurz nach zwölf. Mein Geburtstag war vorbei,
und ich wollte ins Bett.

Als ich die U-Bahn-Station verließ, begann der Wodka
unangenehm an meine Hirnrinde zu klopfen. Ich schlenderte durch die stillen Straßen und betrachtete die fein
geschwungene Mondsichel.

Beim Haus Nummer sieben angelangt, bog ich in die
Einfahrt ein und zog die Schlüssel heraus. Während ich
noch überlegte, welcher Hammel seine Karre mitten im
Weg geparkt hatte, heulte der Motor auf, und die Schein-
werfer gingen an. Das grelle, weiße Licht blendete mich.
Ein Satz Reifen quietschte, und ich rannte instinktiv los.
Fünfzehn Meter waren es bis zur Straße, wo ich mich
keinen Augenblick zu früh nach rechts unter ein geparktes
Auto warf. Ein kleiner Fiat schoß an mir vorbei. Er
bremste scharf und donnerte nach links. Ich rollte mich so
schnell es ging herum, riß die Kanone aus dem Schultergurt und zielte auf die Reifen.

Es machte ein leises, metallisches ›Klick‹. Ich sah noch,

wie der Fiat um die Ecke verschwand. Ein Fenster im Haus gegenüber wurde aufgestoßen.

»Ruh da unne, oddä isch ruf die Pollizei! Is net zum aushalde!«

Krachend flog das Fenster wieder zu.

Ich stand auf und klopfte mir den Dreck von der Hose. Es roch nach verbranntem Gummi. Am liebsten wäre ich zurückgefahren, um dem Kellner die leere Kanone in die Visage zu schlagen. Statt dessen steckte ich die Pistole wieder in den Schultergurt, ging in meine Wohnung und legte mich ins Bett.

Zweiter Tag

I

Madame Obelix schaute mich verschlafen aus aufgequollenen Augen über die Theke hin an.

»Isch habb kei Kaffe, des tut mer leid. Die Leut wolle ja aach nie Kaffe, die wolle immer nur Bier, aach so frie morjens, egelhaft. Abber wardde Se, isch hab hinne eh Känsche fer misch, da kenne Se e Tass von hawwe.«

Ohne meine Antwort abzuwarten, schlurfte sie davon.

Es war neun Uhr morgens. Mein Schädel brummte vor sich hin. Ich war um acht Uhr aufgestanden und hatte unter der Dusche beschlossen, den Tag mit einem Besuch bei Mutter Ergün einzuleiten. Nun lehnte ich an der Bude und wollte noch einen Kaffee trinken, bevor ich zu ihr rüber ging.

Ich hatte die Türkische Botschaft angerufen, doch obwohl ich mich als Beauftragter des Innenministeriums ausgegeben hatte, sogar mit bayrischem Akzent, konnte oder wollte mir der Herr am anderen Ende der Leitung nichts über Ahmed Hamul erzählen.

Madame Obelix kam mit pfeifendem Husten und einem Pappbecher Kaffee zurück.

»Ein belegtes Brötchen oder so haben Sie nicht zufällig?«

»Ich kann Ihne eh Rindsworscht warm mache, wenn Se des möchte.«

Mein Magen meldete, keine Rindswurst zum Frühstück.

So kaufte ich Schokolade und ein Päckchen Zigaretten.

»Is des dann alles?«

»Ja.«

»Mei Kaffe werd nemlisch kald.«

Ich beobachtete, wie sich der mächtige Arsch durch die Tür zwängte und nach und nach verschwand. Ihr Kaffee hatte eine Konsistenz, von der behauptet wird, sie könne Tote aufwecken. Ich aß eine halbe Tafel Schokolade, zündete mir anschließend eine Zigarette an und dachte an den quietschenden Fiat. Ich bezweifelte, daß er mich wirklich über den Haufen hatte fahren wollen. Das konnte man einfacher haben. Eher war es eine Aktion, die dem Drohbrief ein bißchen mehr Nachdruck verleihen sollte. Was auch gelungen war.

Wem, verdammt nochmal, kam ich so in die Quere? Die Aktenhengste der Türkischen Botschaft würden kaum in vollendeter Gangstermanier einen halben Abend im Auto rumgammeln, nur um mir dann einen saftigen Schrecken einzujagen.

Oder vielleicht doch?

Um mir darüber klarzuwerden, mußte ich endlich wissen, ob Ahmed Hamul irgendwie politisch aktiv gewesen war. Ich trank den Kaffee aus und lief hinüber zu den rausgerissenen Klingelknöpfen.

Mutter Ergün öffnete mir die Tür im grün-braun gestreiften Frotteebademantel, unter dem zwei schwammige, gelbe Füße hervorschauten. Die Zehennägel hatten eine eitrige Farbe. Sie war so überrascht wie erwartet, entschuldigte sich für ihre häusliche Aufmachung und bat mich offensichtlich nur ungern in die Wohnung.

Es roch nach aufgebackenen Brötchen, und irgendwo blubberte eine Dusche. Sie führte mich in die Küche. Zwei saubere Teller warteten aufs Frühstück.

»Yilmaz ist schon arbeiten gegangen, und Ilter ist auf dem Amt, wegen der Beerdigung. Ich wollte gerade mit Ayse frühstücken. Möchten Sie einen Kaffee?«

Und wie ich mochte! Noch mehr hoffte ich, sie würde mir auch eins der dampfenden Brötchen anbieten. Um diesen Wunsch dezent zu äußern, hätte ich am liebsten mit dem Magen geknurrt. Statt dessen fragte ich: »Könnte ich bei der Gelegenheit einen Moment mit Ihrer Tochter Ayse sprechen?«

Yilmaz Ergün hatte mir zwar deutlich zu verstehen gegeben, ich könne das bis auf weiteres nicht, aber er war weg, und seine resoluten Sprüche wurden, soweit ich das einschätzen konnte, ohnehin vom Rest der Familie nicht getragen.

Trotzdem war ihr die Antwort sichtlich unangenehm. Ihre Worte schleppten sich nur mühsam von den Lippen.

»Ja, wenn sie kommt... können Sie mit ihr reden.«

Langsam gewann ich die Überzeugung, die arme Ayse mußte Syphilis haben. Die Mutter goß mir Kaffee ein und setzte sich gegenüber an den Tisch.

»Mir sind seit gestern noch eine Menge Fragen eingefallen, deshalb platze ich schon so früh herein. Ehrlich gesagt, ich habe noch nicht viel über ihren Schwiegersohn herausbringen können. Bisher sind alles nur Vermutungen, doch vielleicht können Sie mir weiterhelfen.«

Mein sehnsüchtiger Blick hing schon eine Weile am duftenden, goldgelben Brötchenkorb. Sie mußte es gemerkt haben, denn als ich verstummte, sagte sie schnell: »Wenn Sie essen wollen, bitte.«

Ich legte ein bißchen Höflichkeit vor und meinte: »Nein, nein, ich werde Ihnen doch nicht das Frühstück wegessen.«

»Bitte, nehmen Sie. Es ist genug da.«

»Na ja, dann schmier ich mir mal was.«

Ich schnitt die knusprige Semmel in zwei Teile, ließ Butter und Marmelade darüber fließen und versuchte, ohne Gier zu kauen. Langsam breitete sich die Semmel wohligwarm in meinem Magen aus.

»In erster Linie interessieren mich Sachen aus Ahmeds Vergangenheit. Ob er politisch in irgendeiner Richtung aktiv gewesen ist, ob er als Mitglied bei einer Partei oder Gruppierung gearbeitet hat. Wenn, müßte ich wissen, was er in diesem Zusammenhang alles gemacht hat.«

Sie war einigermaßen überrascht.

»Aber Ahmed hat nie etwas mit Politik gemacht.«

Jetzt erst merkte ich, wieviel Hoffnung ich in diese Vermutung gesetzt hatte, ohne den kleinsten Anhaltspunkt zu besitzen. Wie wenn man den ganzen Abend lang in der Kneipe sitzt und an einem genau konstruierten Bierdeckelhaus baut; gerade wenn man den letzten Pappdeckel drauflegen will, kommt irgendein Fettwanst, torkelt gegen den Tisch und grummelt eine Entschuldigung. Man sitzt vor dem zusammengestürzten Haufen und möchte dem Trottel den Kiefer brechen.

»Ah, ja, das dachte ich mir schon.«

Es ist keine gute Reklame für einen Privatdetektiv, wenn er zugibt, seine analytischen Fähigkeiten seien mehr oder weniger unterentwickelt. Jetzt blieb nur noch der Dealer übrig.

»Sie haben gestern erzählt, Ahmeds ungeregeltes Leben begann etwa vor zwei Jahren. Können Sie sich an einen besonderen Vorfall seit dieser Zeit erinnern? Zum Beispiel ein überraschender Besuch oder ungewöhnlich viel Post für Ahmed aus der Türkei?«

Sie schlürfte ihren Kaffee und sagte nichts.

»Wissen Sie, daß Ihr Schwiegersohn mit Heroin gehandelt hat?«

Sie nickte stumm. Still war es in der Küche. Die ersten Sonnenstrahlen glitten durch die Scheibe und warfen dunkle Schatten auf das Gesicht der Mutter. Nach einem kräftigen Schluck Kaffee räusperte sie sich und begann zu erzählen.

»Natürlich wußte ich es. Alle wußten es. Nur Ilter hat den Lügen von Ahmed geglaubt.«

Es folgten ein paar Weisheiten über die Blindheit der liebenden Frau. Dann kam sie wieder auf Ahmed zurück, besser gesagt, auf Vasif, ihren verstorbenen Mann. Dieser hatte, genauso wie Ahmed, eines Tages mehr Geld mit nach Hause gebracht, als sein mickriger Lohn erlaubt hätte. Etwa ein Jahr vor seinem tödlichen Unfall begann er damit, die Abende in Kneipen und Clubs zu verbringen. Mutter Ergün wußte das. Sie war ihm mehrmals bei seinen Ausflügen gefolgt. Zugegeben hatte er es nie, aber alles lief darauf hinaus, er mußte Heroin verkauft haben. Woher er das Zeug bekam, hatte sie nicht herausfinden können. Besuch oder ungewöhnliche Post habe ihr Mann nie erhalten. Irgendwann in dieser Zeit mußte auch Ahmed in das Geschäft eingestiegen sein. Sehr wahrscheinlich durch Vermittlung seines Schwiegervaters. Mutter Ergüns Erzählung nach war es nichts Außergewöhnliches, wenn Ahmed und Vasif zusammen ausgingen und die Zeit miteinander verbrachten. Die beiden hatten sich auch vorher bestens verstanden. Ahmed Hamul mußte sowas wie ein Abenteurer in der sonst eher vorsichtig bedachten Familie gewesen sein. Dem Alten gefiel er, außerdem waren sie nur zehn Jahre auseinander.

Bald zog er ihn seinen eigenen Kindern, speziell dem Sohn Yilmaz, vor. Ihr Verhältnis war eher das zweier lachender Wandergesellen, die gemeinsam Streiche aushecken, als das, was man sich normalerweise unter der Beziehung Schwiegervater – Schwiegersohn vorstellt.

Das führte zu einer angespannten Situation in der Familie. Gerade Yilmaz schaffte seiner Eifersucht oft Luft, indem er Vater und Schwager böse Vorhaltungen machte.

Langsam verstand ich seine Ablehnung mir gegenüber. Nach dem Tod von Vasif hatte Ahmed das Heroingeschäft allein weitergeführt und sich kaum noch zuhause blicken lassen. Abgesehen von seiner Frau Ilter waren wohl alle darüber recht froh gewesen. Mutter Ergün machte eine Pause, und ich beobachtete, wie ich dabei war, mir ein weiteres Brötchen zu schmieren.

Sie legte ihre dunkle, lederne Stirn in Falten und brütete vor sich hin. Das Quietschen meines Messers auf dem Porzellan durchschnitt die nachdenkliche Ruhe wie eine kreischende Motorsäge.

Allmählich konnte ich mir ein Bild von der Familie Ergün machen. Vasif, das Familienoberhaupt, der mit Mülltüten den Familienunterhalt verdiente und sonst keinen großen Spaß an dem fremden Land mit seinen unfröhlichen, ordentlichen Bewohnern hatte. Mit seinen Kindern konnte er nicht viel anfangen. Sie waren sehr jung gewesen, als sie nach Deutschland kamen, wurden geprägt von der neuen Umwelt, paßten sich ihr notgedrungen an und entfernten sich dadurch von ihm. Yilmaz, arbeitsam und strebsam, erhielt nur wenig Bestätigung von seinem Vater. Der hätte lieber einen temperamentvolleren Sohn gehabt. Er verschanzte sich hinter seinen beruflichen Erfolgen, wurde verbittert und hatte wahrscheinlich nur die Mutter als menschlichen Bezugspunkt.

Melike Ergün, die umsichtige Mutter, die auch nicht die Kraft hatte, ihren Mann vom Heroingeschäft abzuhalten, kümmerte sich um die Kinder, war Rückhalt in der Familie.

Dann Ilter, mehr schüchtern und zurückhaltend, die große Tochter, die der Mutter half, bald selbst Mutter wurde und auch nur noch für Kinder und Haushalt lebte. Nur über Ayse Ergün wußte ich keinen halben Satz zu sagen. Sie mußte aus irgendeinem Grund das schwärzeste Schaf in der Familie sein.

Dann platzte Ahmed Hamul, relativ frisch aus der Heimat, in die trübe Familie, nahm sich Ilter zur Frau, den Vater zum Freund und spaltete so die Familie in zwei Teile. Auf der einen Seite Yilmaz, Ayse und die Mutter, auf der anderen Seite er und Vasif. Ilter hing mit den Kindern irgendwo dazwischen. Ich betrachtete eine Luftaufnahme von Istanbul, die groß an der gelben Tapete hing, und fragte: »War da nicht irgend etwas Ungewöhnliches in der Zeit, als Ihr Mann anfing, mit Heroin zu handeln? Versuchen Sie, sich zu erinnern! Auf den ersten Blick hat es vielleicht gar nichts miteinander zu tun.«

»Nein, da war nichts, bestimmt.«

»Und wann es genau anfing, wissen Sie auch nicht?«

Sie rieb nachdenklich die Finger aneinander.

»Es war, glaube ich, kurz nach dem Unfall ... ja, da fing es an.«

»Was für ein Unfall?«

»Nicht schlimm. Vasif ist in ein anderes Auto gefahren.«

»Hat Ihr Mann öfter Unfälle gebaut?«

Die Frage rutschte mir mehr aus Versehen heraus.

»Nein, es war sein einziger Unfall, außer seinem letzten.«

Es war ein verdammt mickriger Strohhalm. Aber es war einer.

»Waren Sie dabei?«

»Ja, wir wollten zu Freunden fahren.«

»Das Datum wissen Sie noch?«

»Nein, nicht genau, es war im Februar, aber den Tag weiß ich nicht.«

»Wer hatte schuld an dem Unfall? Ihr Mann oder der andere Fahrer?«

»Ich kenne mich da nicht aus. Ich glaube, Vasif hatte Schuld. Das andere Auto kam von rechts. Aber dann hatte er doch keine Schuld.«

»Was heißt das, dann hatte er doch keine Schuld?«

»Na ja, die Polizei kam, wir mußten alle mitfahren, und Vasif hat dann mit der Polizei lange geredet. Ich war nicht dabei, ich habe im Flur gewartet. Dann kam Vasif zurück und hat gesagt, es würde ihm nichts passieren.«

»Mußte er nichts zahlen?«

»Nein, zum Glück, wir hatten sehr wenig Geld damals, und Vasif war verzweifelt, als wir zur Polizei fuhren. Aber dann war er wieder froh und mußte nichts zahlen.«

»Der andere Fahrer, können Sie sich noch an seinen Namen erinnern?«

»Nein.«

»Was war das für ein Mensch?«

»Er war noch jung, mit blonden Haaren.«

Davon gab es Millionen. Allerdings mußte eine Akte über den Unfall bei der Polizei liegen.

»Wissen Sie noch die Polizeiwache, auf die man Sie gebracht hatte?«

»Ja, sie ist hier in der Nähe, drei Straßen weiter. Der Unfall ist auch gleich hier um die Ecke passiert. Ich kann es Ihnen vom Fenster aus zeigen.«

Wir standen auf und zwängten uns nebeneinander ans Küchenfenster. Sie beschrieb mir noch einmal, wie der Unfall genau geschehen war. Ohne Zweifel hatte Vasif Schuld gehabt. Das sah man sogar von hier oben. Wir betrachteten schweigend den lärmenden Verkehr, bis ich sie fragte: »Wo wollte Ihr Mann am Tag seines tödlichen Unfalls hinfahren?«

»Es war Samstag und wir frühstückten, da kam ein Anruf, und Vasif telefonierte kurz. Dann sagte er uns, er müsse wegfahren. Er wollte gleich wiederkommen.«

Sie stockte und preßte die Zähne zusammen.

»Welcher Tag genau war das?«

»Am fünfundzwanzigsten April neunzehnhundertachtzig.«

»Wer angerufen hat, wissen Sie nicht?«

»Nein, einer von Vasifs Freunden.«

»Wo ist der Unfall denn genau passiert?«

»Auf der Straße nach Kronberg.«

Auch das mußte in einer Polizeiakte genauer beschrieben sein. Ich beschloß, Mutter Ergün in Ruhe zu lassen und zur Polizei zu gehen. Als erstes wollte ich bei der Abteilung Rauschgift nachfragen, ob es irgendwelche Schriftstücke über Vasif und Ahmed gab.

»Gut, Frau Ergün, Sie haben mir wirklich sehr geholfen. Ich werde morgen wieder vorbeikommen. Und dann hoffentlich mehr wissen. Könnten Sie Ihrer Tochter Ilter ausrichten, sie möchte mich im Lauf des Tages im

Büro oder bei mir zuhause anrufen? Die Nummer hat sie.«

Wir verabschiedeten uns, und ich bedankte mich für das Frühstück. Gerade als ich mich umdrehen wollte, zuckte die alte Frau, wie von einem unsichtbaren Schuh getreten, zusammen. Ihre Augen flackerten widerwillig an mir vorbei.

Die Küchentür knarrte leise. Billiges Parfüm wehte durch den Raum. Langsam wandte ich den Kopf und blickte in Richtung Parfüm. Ayse Ergün stand auf wackeligen Beinen im Türrahmen. Mutter und Tochter starrten sich stumm an, und ich verstand endlich.

Wie im Dunst, suchten ihre Augen nach Halt; doch der Blick schwamm immer wieder weg, glitt ohne Ziel durch die Küche. Der kleine, magere Körper zitterte leicht, und die Finger krampften sich ineinander, als wollten sie sich verstecken. Ayse Ergün hatte nicht die Syphilis. Sie hing an der Fixe.

2

»Wie bitte, was wollen Sie?«

Er hatte den Ton eines aufstrebenden Offiziers, der einen Gefreiten wegen ungebügelter Hosen zur Sau macht. Seine Zähne hackten die Wörter am Ende scharf ab. Ich fürchtete, er könnte sich aus Versehen die Zunge abbeißen. Seine stahlblauen Augen blitzten mich ungnädig an. Immerhin popelte er nicht ständig in der Nase wie Nöli.

Jetzt mußte ich mich schon zum zweiten Mal im Empfang des Polizeipräsidiums mit einem Schreibtischhelden herumärgern.

»Haben Sie Dreck in den Ohren? Das Rauschgiftdezernat such ich. Soll ich's Ihnen buchstabieren?«

Er knallte Unter- und Oberkiefer aufeinander und kniff die Augen zusammen, als hätte ich ihm kochendes Wasser über die Socken gekippt.

»Werden Sie bloß nicht unverschämt, ja! Ich kann Sie auch rausschmeißen lassen!« Drohend hieb er ein Lineal durch die Luft und schmetterte es auf die Tischplatte. Der kahl rasierte Nacken spannte sich.

»Euch muß man treten, um ein halbwegs freundliches Wort zu bekommen. Na ja, ich finde den Weg auch alleine.«

Noch während ich sprach, stand er auf und bekam ein käsiges Gesicht. Ich drehte mich um und verließ die Halle. Der Offizier sagte nichts mehr. Wahrscheinlich hing er am Telefon und ordnete meine standrechtliche Erschießung an.

Ein paar fleischfarbene Nylons trippelten mir im grauen Flur entgegen.

»Entschuldigen Sie, wo liegen denn die Räume vom Rauschgiftdezernat?«

Sie musterte mich nicht ohne Ehrfurcht. Vielleicht glaubte sie, ich sei ein Opiumkönig, der sich nun der Gerechtigkeit stellt. Vielleicht faszinierte sie aber auch nur mein immer noch mit angetrocknetem Blut verziertes Kinn.

»Im vierten Stock.«

»Danke.«

Diesmal nahm ich den Aufzug. Nummer vier leuchtete auf, und die verkratzten Türen schoben sich auseinander.

Zuerst roch ich ihn, besser gesagt seine Zigarre. Gleich darauf sah ich ihn. Futts Metzgerfigur stand wartend neben der Aufzugstür. Und neben ihm ein schmächtiges Bürschchen, das irgendeinen Satz verschluckte, als es mich erblickte. Ich mußte lachen.

Eine dicke, rote Ader trat aus Futts kahlem Schädel, und seine fette Brust pumpte Luft. Doch das Gebrüll blieb aus. Statt dessen ließ er das Lächeln eines Folterknechts spielen, der genüßlich sein nächstes Opfer in Augenschein nimmt.

»Ach, der Herr Abgesandte.«

Es klang bierfreundlich, als wolle er mir gleich eine Zigarre anbieten. Nur seine Augen wurden eng. Er hätte Charakterdarsteller beim Kinderfilm werden sollen: als lieber Onkel von nebenan, der immer mit den kleinen Mädchen Pipi machen will.

»Ach, der Herr Kriminalkommissar. Was macht der Fall Hamul? Bahnen sich tatsächlich internationale Verwicklungen an, oder bleibt es beim Durchschnittskanaken? Mein Interesse ist privater Natur, das haben Sie ja inzwischen festgestellt.«

Der liebe Onkel steckte langsam seine Zigarre zwischen die polierten Zähne, nahm einen tiefen Zug und schoß dann kleine, niedliche Rauchringe in die Luft. Das Bürschchen neben ihm mußte von mir gehört haben. Es trat nervös Löcher in den Boden, und ich hatte das Gefühl, es würde nur auf einen Wink des Chefs warten, um sich endlich auf mich zu stürzen. Seinen Körpermaßen nach zu urteilen, würde er wahrscheinlich an den Haaren ziehen.

Futt blies mir aus seiner Lunge den letzten Rest Rauch ins Gesicht und sagte mit der teilnehmenden Stimme eines Anwalts, der seinem Klienten das Hinrichtungsdatum verrät: »Mein lieber Herr Kayankaya, ich habe voraussichtlich heute nachmittag keine allzu dringenden Termine; ich werde mich deshalb erkundigen, wie man am schnellsten seine Lizenz als Privatdetektiv verliert. Mit Ihrem hellen Köpfchen eine andere Arbeit zu finden, ist sicherlich ein Kinderspiel.«

»Ingenieur bei der Müllabfuhr!« sprudelte das Bürschchen hastig und verzog die dünnen Lippen zum flatternden Lächeln.

Futt fand das offensichtlich weniger komisch und wies ihn mit einem schneidenden Blick zurecht.

Die beiden gaben einen exzellenten Einblick in das einfach strukturierte Leben einer Herrchen-Hund-Beziehung.

Futt zog die Augenbrauen hoch und fuhr fort.

»Nun, Herr Kayankaya, ich bin kein Unmensch, doch gewisse Dinge ärgern mich. Vor allem, wenn irgend jemand glaubt, er könne auf meine Kosten seinen Spaß haben. Ich halte Ehrlichkeit für eine der vornehmsten Tugenden, und wären Sie mir gegenüber aufrichtig gewesen, wer weiß, vielleicht würden wir jetzt zusammenarbeiten. So allerdings...«

Vielsagend strich seine Hand durch die Luft. Der Hund friemelte an seiner Hosennaht und blickte erwartungsvoll zum Herrchen hinauf. Doch das Herrchen blickte nicht hinunter.

Anstatt zu kläffen, haspelte er dann: »Ähm, Herr Kriminalkommissar, sollten wir nicht jetzt gleich, äh... ich meine... jetzt wo...«

Futt peitschte ein kurzes, bestimmtes »Nein« auf ihn nieder.

Ich war meine Rolle als Zuschauer bei der Dressur leid und fragte Futt: »Daß er Männchen machen kann, weiß ich jetzt, aber findet er auch das Stöckchen?«

Futt lachte. Nicht aus vollem Herzen, aber doch so, daß das Bürschchen anfing, mir leid zu tun. Es sah mich an, als hätte ich rumerzählt, er habe ein kleines Geschlechtsteil.

»Wenn Sie ausgelacht haben, wischen Sie sich den Rotz vom Kinn, sonst könnte glatt noch jemand seinen Spaß auf Ihre Kosten haben.«

Er griff sich ans Kinn. Jetzt lachte ich und ging. Bevor ich die Tür des Rauschgiftdezernats fand und anklopfte, hörte ich noch, wie der Aufzug kam und die beiden einstiegen. Bei dem seltsamen Spiel zwischen Herr und Hund hatte ich irgendwie das Gefühl gehabt, ich sei der Knochen.

Eine tiefe Stimme blökte langgezogen »Ja«, und ich drückte auf die Türklinke. Das Büro lag in Richtung aufgehende Sonne. Ich mußte die Augen zusammenkneifen, als ich eintrat.

Es war ein großer Raum mit drei abgegriffenen Holzschreibtischen, einer hoffnungslos mit Ordnern überladen. Dahinter saß die tiefe Stimme. Der Mensch hatte das intellektuelle Kopfschmerzengesicht mit zwei dicken, roten Brillen-Beulen auf der Nase. Er hatte die Brille abgenommen und kaute leidend auf dem einen Bügel herum. Vor ihm dampfte eine Tasse mit schwarzem Kaffee. In der Ecke säuselte ein Radio Wetterberichte. Es roch nach dicker Zigarre. Futt mußte auch schon weiter gekommen sein. Er legte Stirn und Augen in sorgenvolle Falten, als würde ihn ein Sack Kartoffeln drücken, und musterte mich wie seinen Zahnarzt.

Da er keine Lust zeigte, als erster den Mund aufzumachen, tat ich es.

»Guten Morgen. Ich bin Kemal Kayankaya, habe zu Weihnachten eine Lizenz für Privatermittlungen geschenkt bekommen und will, nachdem ich Sankt Nikolaus als Schwulen entlarvt habe, nun beweisen, der langhaarige Sohn Gottes war der größte Haschisch-Hippie von Jerusalem.«

Er verzog keine Miene, sondern sah mich weiter stumm mit seinem Migräneblick an. Ein netter Mensch hätte ihm eine Packung Aspirin schenken sollen. Ich war kein netter Mensch.

»Ich mach Ihnen einen Vorschlag, wie Sie sich mühsames Sprechen ersparen können. Wenn Sie mit dem linken Ohr wackeln, bedeutet es ›Ja‹, mit dem rechten ›Nein‹, und ich darf nur drei direkte Fragen stellen. In Ordnung?«

Anstatt mit dem rechten Ohr zu wackeln, sagte er: »Nein.«

Dann folgte eine kleine Pause, und ich überlegte, ob das alles war, was ich von ihm hören sollte.

»Ich weiß nicht, wer Sie sind. Im übrigen, es interessiert mich auch nicht besonders. Falls Sie mich nur besuchen wollten, um den Witzbold vorzuführen, bitte ich Sie, jetzt wieder zu gehen. Ich habe einiges zu tun.«

Er zog ein zerknülltes Taschentuch aus der Hose und begann seine Brille zu putzen.

»Ich bin gekommen, um zu erfahren, ob es in der Abteilung Rauschgift eine Akte über einen gewissen Ahmed Hamul gibt. Er ist letzte Woche in der Nähe vom Bahnhof in ein Messer gestolpert.«

Er schob die Brille auf die Nase. Jetzt war er der Germanistikstudent nach durchlesener Nacht. Er paßte einfach nicht hierher.

»Selbst wenn es eine Akte gäbe, wären Sie einer der vielen, die sie nicht zu sehen bekommen. Verschwenden Sie nicht Ihre und meine Zeit, gehen Sie woanders Witze reißen, ich bin sicher, mit ein wenig Geduld findet sich auch jemand, der darüber lacht.«

Abschließend legte er die Hände ineinander. Er bot den Anblick eines Professors nach längerem Vortrag, der nun hofft, die Studenten hätten keine weiteren Fragen und würden gehen.

»Wer oder was muß man denn sein, um an die Akten ranzukommen?«

»Alles, was Sie nicht sind.«

»Also gut, dann eben nicht. Aber wir sehen uns wieder«, fügte ich hinzu, ohne die geringste Ahnung, weshalb. Während ich den Raum verließ, schleimte das Radio irgendwas von sieben Brücken, über die ich gehen müsse.

Ich ließ die stickigen Flure des Polizeipräsidiums hinter mir und trat auf die sonnige Straße. Ein bis zum Platzen gefülltes Paar Jeans drängte sich an mir vorbei. Ich blickte ihm hinterher, bis sich eine schlabberige Latzhose dazwischen schob.

Ich steuerte die nächste Telefonzelle an, um einen ehemaligen Kripokommissar anzurufen. Theobald Löff sitzt seit zwei Jahren seine Rente ab. Ich hatte ihn getroffen, als er eine frühere Klientin von mir wegen Mordes suchte. Es war der erste und einzige Polizist, den ich kennengelernt hatte, mit dem man sich verständigen konnte.

Löff, mit allen Ehren aus dem Polizeidienst entlassen, würde bestimmt die Akteneinsicht erhalten, die ich brauchte. Also stupste ich zwei Zehner in den Telefonschlitz und wählte Löffs Nummer. Es klingelte drei-, viermal. Dann rief eine gehetzte Stimme durch die Leitung, ich solle bitteschön einen Moment warten, die Milch koche über. Das war Löffs Frau. Sie hatten vor knapp vierzig Jahren geheiratet und führten das, was als glückliche und langweilige Ehe umschrieben wird. Ich stand in der stickigen Telefonzelle und spürte die Schweißtropfen einzeln aus meiner Achsel herauskullern. Es roch nach verdautem Knoblauch.

Endlich kam Frau Löff zurück an den Hörer und erkundigte sich, wer da sei. Ich sagte ihr, wer da sei, und was er wolle. Sie erklärte mir, ihr Mann sei in der Stadt, werde aber gleich zurückkommen, und ich solle zum Mittagessen vorbeischauen. Ich nahm dankend an, schmiß den Hörer in die Gabel und flüchtete nach draußen.

3

Das Ehepaar Löff wohnt in Nieder-Eschbach. Ein Groß-stadt-Reihenhaus-Randgebiet.

Die Nummern auf den hängenden Glas- oder Plastiklaternen vor den Häusern sind das einzige, was die beigen, aneinandergereihten Schuhkartons mit Ziegeldach unterscheidet. Überall gepflegter, grüner, vier mal vier Meter großer Rasenteppich, eingerahmt von säuberlich angeordneten Blumensträuchern. Drumherum ein niedriger, dunkelbraun gebeizter Jägerzaun mit scharfen Spitzen, zu nichts anderem gut, als fallenden kleinen Kindern die Augen auszustechen. An langen Sommerabenden stinkt der Holzkohlengrill, und aufgeregte Familienväter hüpfen in dunkelblauen Trainingsanzügen, Wurst und Kotelett schwingend, durch den Garten. Langsam steuerte ich den Opel durch die ruhige Straße und hielt Ausschau nach Nummer vierunddreißig. Gußeisern gekringelt fand ich sie neben einer blau geriffelten Glastür. Ich parkte den

Wagen und stieg aus. In der Ferne brummte ein Mofa. Aus den geöffneten Fenstern kam Geruch von halbgarem Essen auf die Straße. Hinter einem vergitterten Parterrefenster trällerte eine Frauenstimme. »Die Gedanken sind frei...«

Ich stieß die Pforte auf, stolperte über einen blöde grinsenden Gartenzwerg und drückte auf die Klingel. Es machte hell Bimbam. Wenig später öffnete Frau Löff in buntgeblümter Küchenschürze die Tür.

»Herr Kayankaya! Herein in die gute Stube, das Essen ist gleich fertig. Mein Mann sitzt im Wohnzimmer.«

Für ihre sechzig Jahre war sie gut in Schuß. Ihr Mann dagegen führte, außer der Salatzucht, ein recht unausgefülltes Rentnerdasein. Am liebsten verbringt Theobald Löff seine Zeit damit, willigen Zuhörern Heldentaten aus vergangenen Polizeijahren zu schildern.

Ich ging durch den niedrigen, hellbraun tapezierten Flur hindurch ins Wohnzimmer. Als das Ehepaar Löff vor Jahren hier eingezogen war, hatte es zuallererst den riesigen Fernseher in die Ecke gestellt und, von ihm ausgehend, den Rest des Raumes eingerichtet. Eine mit kaffeebraunem Cord bezogene Sitzgarnitur rankte sich um das Monstrum. Vereinzelte Sessel standen in Richtung Flimmerkasten. Selbst die Lampen waren so gedreht, daß sie, angeschaltet, ein angenehm gedämpftes Licht geben mußten. An den Wänden hingen Stiche von irgendwelchen Burgen und Teppiche mit ländlichen Motiven. Frau Löff häkelte sie an langen Winterabenden. So sahen sie jedenfalls aus. Auf zwei Teetischen lagen Gartenprospekte und Fernsehprogramme verstreut.

Löff saß mit gefalteten Händen in seinem Sessel. Er sah hinaus auf ein Fleckchen Garten.

Als ich eintrat, stand er auf und schlurfte in seinen Frotteepantoffeln auf mich zu.

»Tag, Herr Kayankaya, freut mich, Sie mal wieder zu sehen.«

Ich schüttelte sein dünnes Händchen. Löff hat dichtes, graues Haar, man meint im ersten Moment, das sonst zierlich-klapperige Männchen habe eine Fellmütze auf dem Kopf. Das Gesicht ist schmal und überzogen von kleinen Fältchen, wie ein eingetrockneter Apfel. Seine enorme Säbelnase ragt einem aufdringlich entgegen.

»Tag, Herr Löff, wie gehts? Was macht die Salatzucht?«

Er verzog den Mund, was den Apfeleindruck verstärkte.

»Salaaat! Was für Kinder und Greise. Hab den ganzen grünen Plunder herausgerissen und auf den Kompost geschmissen, konnte das Zeug nicht mehr sehen. Ist doch nichts, erst ein halbes Jahr pflanzen und pflegen und dann ein halbes Jahr essen. Meine Frau wollte ihn einfrieren! Geht nicht, hab ich ihr gesagt; geht doch, hat sie gesagt. Allein der Gedanke, jeden Tag aufgetauten Salat kauen! Rausgerissen hab ich das ganze Feld!«

Er schaute eine Weile trotzig auf seine Frotteepantoffeln.

»Lassen wir das. Setzen Sie sich. Erzählen Sie, warum Sie hergekommen sind. Wohl kaum, um von meiner Frau warme Würstchen serviert zu bekommen!«

Wir plumpsten in die braune Sitzgarnitur. Er verschränkte die Arme und schaute mich erwartungsvoll an.

»Stimmt, nicht nur wegen der Würstchen. Ich wollte fragen, ob es nicht eine Abwechslung im Rentenalltag wäre, mal wieder ein bißchen Polizist zu spielen und mir zu helfen?«

Ungeduldig sah er hoch zur Decke.

»Sie wissen genau, was ich davon halte, machen Sie's nicht so spannend.«

Ich erzählte ihm die Geschichte von Anfang an. Von Ilter Hamuls Besuch, dem Drohbrief, Ahmed Hamuls Dealer-Job, dem kleinen, schnellen Fiat, Hanna Hecht, Mutter Ergüns Erzählungen, Vater Ergün und seinen Unfällen, bis zu meinem Besuch heute morgen im Rauschgiftdezernat.

Löff hörte aufmerksam zu. Ich merkte, er begann sich wohlzufühlen.

»Tja, das war alles bisher«, schloß ich und wartete auf Fragen.

Ganz Polizeikommissar, kratzte er sich am Kopf, stand langsam auf, holte sich Pfeife und Tabak, begann zu stopfen und zog die kleinen Apfelfältchen zu dicken, nachdenklichen Stirnrunzeln zusammen. Ich hätte ihm wahrscheinlich keinen größeren Gefallen tun können.

Sherlock Löff zündete sich die Pfeife an und ließ den Rauch bedächtig aus den Nasenlöchern rieseln.

»Wer bearbeitet den Fall?«

»Ach ja, hab ich vergessen, Schlachtermeister Futt und irgendein winselndes Dingsbums, zittert ständig um seinen Rockzipfel herum.«

»Harry Eiler heißt das Dingsbums. Futts Schatten, schon in der Zeit, als er noch beim Rauschgiftdezernat gearbeitet hat. Eigentlich ist er normale Streife, zu mehr hats nicht gelangt. Trotzdem holt Futt ihn immer wieder als Mitarbeiter oder Gehilfen, warum, weiß ich nicht. Er wird seine Gründe haben. Futt ist zwar ein unsympathischer Mensch, aber ein guter Polizist.«

»Ich dachte, das eine sei Voraussetzung fürs andere?«

Löff konnte darauf nichts mehr erwidern. Seine Frau kam herein und zwitscherte, die Würstchen seien fertig.

Das Eßzimmer der Löffs ist wie aus PVC gegossen. Als wäre es für suhlende Kinder eingerichtet worden. An den hellgelben Wänden hängen in Plastik eingeschweißte Rezeptplakate. Eßtisch und Stühle sind grellorange, und der Boden ist mit dunkelgrünem Linoleum überzogen. Unter den Tellern lagen abwaschbare Plastikdeckchen. Ein Gulli fehlte. Nach der Mahlzeit hätte man mit einem Gartenschlauch saubersprizten können.

Frau Löff schaufelte Würste, Kartoffelbrei und Sauerkraut auf meinen Teller. Ich rupfte zwei Bierflaschen den Deckel ab.

Der selbstgemachte Brei bestand zu großen Teilen aus halbgaren Kartoffelbrocken. Dafür war er selbstgemacht.

»Man merkt sofort den Unterschied zum Kartoffelbrei aus der Tüte.«

Frau Löff bedankte sich.

Nachdem wir alles mögliche über Wetter, Preise und Sonderangebote weggeplaudert und ein paarmal über unseren neuen Kanzler gelacht hatten, fragte Löff:

»Also gut, das vorhin war die Geschichte, und wie soll ich Ihnen nun helfen?«

»Ach, Theo, laß das doch, bis wir mit dem Essen fertig sind. Herr Kayankaya muß doch auch mal Pause machen, nicht wahr?«

Sie tätschelte mir die Schulter.

»Ist schon in Ordnung, Frau Löff, ich muß möglichst schnell wieder los«, dann zu Löff, »ich brauche ein paar Schriftstücke, an die ich nicht rankomme, das ist alles. Sie können das, jeder kennt Sie noch. Es sind die Akten über die beiden Unfälle von Vasif Ergün und falls vorhanden, über Ahmed und Vasif im Drogendezernat. Am besten wäre es, Sie könnten von allem eine Fotokopie besorgen. Wenn Sie überhaupt wollen?«

»Natürlich will ich! Auf welchen Wachen wurden die Unfälle aufgenommen?«

»Der erste muß im Februar neunzehnhundertneunundsiebzig passiert sein, direkt hinterm Bahnhof. In der Nähe ist auch die Wache.«

»Ja, ich weiß«, zischte er. Er wurde fast böse.

»Der zweite, der tödliche Unfall, war am fünfundzwanzigsten April neunzehnhundertachtzig auf dem Weg nach Kronberg. Wo genau, das weiß ich nicht, aber...«

»Das werde ich schon herausfinden!«

Mich begann der Eifer des Polizei-Opas zu nerven.

»Na gut, bis wann könnten Sie die Kopien haben?«

»Kommen Sie so um fünf Uhr heute abend vorbei.«

»In Ordnung.«

Während des Nachtischs erzählte Theobald Löff, wie er neunzehnhundertsiebenunddreißig, als junger Polizist, einen jüdischen Eierdieb auf frischer Tat ertappt hatte: »Ich mußte ihn festnehmen, das war meine Arbeit. Aber wissen Sie, Herr Kayankaya, da ich gehört hatte, wie man mit den Juden im Lager umspringt, hab ich ihm die Eier gelassen. Sie denken jetzt vielleicht, ›na und‹, aber was meinen Sie, was ich für ein Risiko eingegangen bin? Aber davon haben Sie ja keine Vorstellung. Heute sind andere Zeiten. Sehen Sie, sogar mit einem Türken, ha, ha, ha«, er klatschte seine verschrumpelte Rentnerhand auf meine Schenkel, »... sitze ich an einem Tisch.«

Seine Frau erläuterte noch die Vorzüge eines eigenen Gartens. Danach bedankte und verabschiedete ich mich.

Wieder im Opel, konnte ich endlich rülpsen.

Ich ließ den Wagen im Schatten eines Spielsalons stehen und schlenderte langsam die träge in der Hitze flimmernde Straße hinunter.

Ein paar meiner Landsleute standen an der Ecke und berieten irgend etwas. Flipper- und andere Automatengeräusche schwirrten durch die Luft. Sonst war es still. Ich steuerte HEINIS HÜHNERPFANNE an. Gemächlich rollte eine Polizeistreife an mir vorbei. Ich schob HEINIS Tür auf, und wieder wehte der gleiche, wochenalte Fettgeruch durch den Raum. Ich setzte mich an den erstbesten Tisch.

Mein schneller Freund von gestern abend schien seinen freien Tag zu haben. Der Kellner, der jetzt auf mich zu trudelte, paßte sehr viel besser in den stinkenden Hühnerfriedhof. Seine roten Haare hatte er in fettigen Strähnen eitel über die fortgeschrittene Halbglatze gelegt.

Einen Hals gab es nicht, nur eine Speckrolle, die sich zwischen Kopf und Schulter zwängte. Die Beine waren kurz und krumm, und sein Bauch sah aus, als hätte er einen Fußball verschluckt.

»Was wünschen der Heer, äh?«

Als sollte ich ihn streicheln, streckte er mir kokett den Fußball entgegen.

»Scotch, Kaffee und ein bißchen frische Luft.«

»Sofort.«

Er drehte sich um und tanzte mit derbem Hüftschwung hinter die Theke. Er hatte etwas von einem schwulen Nilpferd.

Der Ventilator fing an zu surren. Ich steckte mir eine Zigarette zwischen die Lippen und suchte Streichhölzer, als mir ein bekannter lila Duft in die Nase stieg.

»Na, starker Scheich, wie steht's?«

Der Schwan aus Millys Sex-Bar fiel mir gegenüber in den Stuhl. Diesmal in Zivil.

»Hallo Entlein, heute keine lila Unterhosen?«

Sie lächelte. Nicht zu viel und nicht zu wenig. Genau richtig.

»Mein Job beginnt erst um sieben. Stört dich Gesellschaft? Ich muß was essen.«

Der Fußball drängte sich zwischen uns und schob Kaffee und Scotch über den Tisch.

»Was wünschen gnää Frau?«

»Ein halbes Huhn mit Pommes, bitte.«

»Wird gemacht.«

Sie zündete sich eine Zigarette an, schlug die langen Beine übereinander, die aus einem knappen Rock herausschauten, und meinte: »Hast 'nen astreinen Eindruck in unserm Schuppen hinterlassen. Die Chefin und ihre zusammengeschlagenen Freunde haben die ganze Nacht überlegt, wie sie dir den Kopf abreißen können. Wie kam's denn dazu?«

»Ach, ... hatte schlechte Laune.«

Sie zeigte eine Reihe weißer, spöttischer Zähne.

»Klar, Mann, entschuldige, war für dich Alltag. Hast nebenbei die zwei Jungs zu Klump gehauen, hattest Lust. Bist 'n Superscheich. Darf ich sitzen bleiben, oder stört dich mein Durchschnitt?«

»Nix Superscheich, bin das dicke Ding vom Kebab-King.«

»Ist das ein Grund, andere Leute zu Klump zu hauen?«

Das halbe Huhn flatterte auf den Tisch und ersparte mir die Antwort, die ich ohnehin nicht gewußt hätte.

Die Pommes frites glänzten braun und alt. Sie steckte

sich eine Gabel voll in den Mund. Dann, zwischen den halb verschluckten Kartoffelstangen hindurch, »und wie läuft die Suche nach diesem, diesem... wie heißt er?«

»Ahmed Hamul.«

»Genau. Wie stehts damit?«

»Da gibts keine Suche mehr. Der ist tot.«

»Okay, ich mein auch seine Freundin, oder so was...«

»Ja, die Suche läuft.«

Ein Stück Huhn zitterte auf ihrer Gabel.

»Sehr gesprächig, hä?«

»Mein Gott, da gibts nicht viel zu erzählen. Morgen vielleicht.«

»Mhmhm, und was machst du hier?«

Sie lachte:

»Wartest du bis Rudi Feierabend hat?«

»Muß man ihn kennen, den Rudi?«

Sie rieb zwei längere Pommesstangen aneinander und gluckste:

»Kommt ganz drauf an.«

»Rudi ist der Kellner, bei dem sie den Hals vergessen haben?«

»Zum Anbeißen, was?«

»Doch, er hat was.«

»Mhmm, kneifts schon?«

»Hab Schießer-Unterhosen, die halten was aus.«

»Rudi steht auf Pariser.«

»Warum nimmt er nicht die Pille?«

»Gibt keine mit Noppen.«

»Wenn 'n Loch drin ist?«

»Rudi liebt das Risiko.«

»Ist schon einmal schiefgegangen. Bei dem Bauch kriegt er mindestens Zwillinge.«

Sie nagte ein Hühnerbein ab und blinzelte mir zu. Das lief runter bis in die Zehenspitzen. Ich zündete mir eine Zigarette an und blies ihr einen Rauchring über die Nase.

»Kennst du eine Hanna Hecht?«

»Klar.«

Sie schmiß das kahlgefressene Hühnerbein auf den Teller, wischte sich glänzende, braune Pfützen aus den Mundwinkeln, machte eine Zigarette an und lehnte sich zurück.

»Warum?«

»Hanna Hecht war die Freundin von Ahmed Hamul. Ich hab sie gestern abend noch gefunden. Leider war das schon alles. Ihr Meister hat mir sehr schnell klar gemacht, meine Person ist nicht erwünscht.«

»Und? Warum hast du ihn nicht einfach zusammengeschlagen?«

Sie grinste mit einem dunklen Stückchen Hühnerhaut zwischen den weißen Zahnreihen. Ich sagte es ihr, und sie hörte auf zu grinsen.

»Er ist besser als all die Muskelhirne aus deinem Schuppen.«

»Kann gut sein. Sitzt du deshalb hier herum?«

»Mhm. Weißt du, wie dick die beiden im Stoffgeschäft drinhängen?«

Einen Moment lang glitten ihre Augen zweifelnd an mir herunter. Mißtrauisch wie eine Katze, die fremden Besuch mustert.

»Sie drückt, und er ist ein kleines Tier im Handel. Nichts Besonderes, soweit ich weiß. Ein Türke hing hier manchmal mit ihr rum, muß wohl dein Ahmed gewesen sein. Aber ich hab mit dem Geschäft nichts zu tun, da mußt du andere suchen.« Ich betrachtete die vollen, weichen Lippen, die dunklen Augen, die etwas zu stämmigen Schultern, die langen, starken Beine, die langsam auf und nieder wippten, die dunkelrot lackierten Fußnägel und ihre schmalen, leicht zerfurchten Hände – und dachte nichts.

Eine Stimme brüllte »zahlen«. Rudi wackelte durch die Gegend. Es stank nach Huhn, immer noch. Ein kaputter Auspuff dröhnte durchs Fenster. Irgendwo blitzte es.

»Ich will aber niemand anders suchen. Du bist privat hier?«

Wenig später zahlten wir und gingen.

5

Es war kurz vor fünf, als ich das Zimmer von Susanne Böhnisch Entlein verließ und mit weichen Knien und warmem Bauch die Treppe hinunter auf die Straße segelte. Ich wollte immer noch mit Hanna Hecht sprechen. Löff konnte warten. Ich lief zurück zum Auto und holte die Parabellum. Nochmal sollte mich der Schnurrbart nicht auf die Straße begleiten.

Bei Hanna Hechts Wohnungstür angelangt, hing ich mit dem Ohr am Schlüsselloch, bis ich wußte, er ist da. Dann hämmerte ich gegen die Tür und brüllte: »Telegramm!« Die Parabellum lag kalt in meiner rechten Hand. Schnurrbart kam aus der Küche, polterte »gibt doch 'ne Klingel« und öffnete die Tür.

Der magere Mann schaute im ersten Moment verblüfft, dann angewidert auf das Schießeisen. Mich schien er nicht zu bemerken. Früh genug sah ich, wie seine Hand zur Schulter schlich.

»Pfoten weg von der Kanone. Diesmal ist mein Finger am Abzug. Dreh dich um und leg die Arme hinter den Kopf.«

Er verzog das Gesicht, als hätte er sich mit saurer Milch bekleckert.

»Das hast du im Fernsehen gelernt, nicht wahr, mein Freund?«

Stimmt, dachte ich, sagte es aber nicht.

»Keine langen Reden, es wird sich umgedreht und losmarschiert!«

Er machte es wie befohlen. Ich bohrte ihm mein schwarzes Rohr ins Rückenmark, drückte ihn gegen die Wand und fummelte seine Kanone aus dem Schulterhalfter. »Ganz ruhig. Wir gehen jetzt durch die Tür da, und ich wünsch dir, deine Partnerin macht keine Dummheiten.«

Er brummte irgendwas und ging los. Als wir das Zimmer mit den Pferdeplakaten betraten, stand Hanna Hecht hinter dem Kühlschrank. Ihre Hände umklammerten eine kleine, braune Automatic.

»Schwester, leg das Gerät weg, ich hab so was auch.« Um dem Nachdruck zu verleihen, schwang ich die Parabellum für einen Moment durch die Luft. Es war ein Fehler. Der Schnurrbart schaltete schnell und rammte mir seinen Ellbogen in die Rippen. Hätte er meinen Magen getroffen, wäre ich wie ein nasser Sack aufs Linoleum geplumpst. Doch er traf nicht. Ich stolperte einen Schritt zurück, während er sich umdrehte. Dann holte ich aus und hackte ihm die Parabellum in die Fassade. Einen Moment stand er noch, schaute an mir vorbei ins Leere, dann schwammen seine Augen weg, und er rutschte krachend an einem Regal auf den Boden. Ich drehte mich zu Hanna Hecht. Immer noch hielt sie sich an der Automatic fest und schaute mit großen Augen und zitternden Lippen zu mir herüber.

»Schwester, leg das Ding weg, oder ich baller deinem Freund das Hirn raus.«

Langsam, wie unter Hypnose, ließ sie die Automatic los. Sie fiel auf den Boden.

»In Ordnung. Es macht mir keinen Spaß, den wilden Mann zu spielen, aber anders kommt man mit dir nicht ins Gespräch.«

Ich zeigte auf die Ikea-Küchensitzecke.

»Setzen wir uns, und du erzählst mir ein bißchen von Ahmed Hamul.«

Sie schob ihre flatternden Hände in die Jeans und lehnte sich an den Fensterrahmen.

»Ich bleibe lieber stehn.«

Ihre starre Grimasse bekam mit der Zeit einen dämlichen Zug.

»Na gut.«

Ich zündete mir eine Zigarette an, ließ ein bißchen Nikotin in die Lunge rutschen und überlegte, was ich wissen wollte.

»Wie lange kanntest du Ahmed schon?«

Sie knabberte auf ihrer blutleeren Unterlippe herum und sagte nichts.

»Hör zu, mein Liebes, wenn du's Maul nicht aufkriegst, sind wir flott bei der nächsten Polizeiwache. Dort interessiert man sich auch für den toten Ahmed. Ich bringe dich nicht gerne hin. Ich mag die Jungs auch nicht, aber wenn du vorhast, weiter stumm deine Lippen zu kauen, dann...«

»Ja, ja, is ja gut.«

Sie schluckte irgendwas runter und meinte, »ich kannte Ahmed etwa seit drei Jahren.«

»Hat er damals schon mit Stoff gehandelt?«

»Sicher.«

Es klang bitter.

»Du warst mit ihm zusammen, weil er was zum Drükken hatte?«

»So fings an.«

Ich deutete auf den halbtoten Schnurrbart.

»Und was ist mit dem da?«

»Er hat manchmal für Ahmed verkauft.«

»Is ’n flotter Dreier gewesen.«

»Mhmm, kann man so sagen.«

»War zwischen dir und Ahmed ein bißchen mehr los als nur Geschäft?«

»Ich mochte ihn gern.«

»Und der da?«

»Nur Geschäft.«

»Die Möglichkeit, daß er ihn über das Geschäft hinaus verdammt wenig leiden konnte und ihm deshalb ein Messer in den Rücken gejagt hat, gibt es nicht?«

»Gibt es nicht.«

Ich glaubte ihr.

»Woher bekam Ahmed den Stoff?«

»Keine Ahnung.«

»Ich habe gefragt, woher er den Stoff bekam?«

»Und ich habe gesagt, keine Ahnung.«

»Schwester, wenn du mir nicht die Wahrheit erzählst, bring ich dich mit deinem Freund schnurstracks auf die Wache, klar?«

Sie ließ ihre Zunge über die Lippen spielen und schlug die Augen nieder. Ich überlegte, ob sie versuchen würde, mich mit feuchtwarmen Gebärden zu überrumpeln. Statt dessen leierte sie gelangweilt: »Du müßtest eigentlich wissen, das Geschäft läuft nur, wenn sich niemand kennt. Ahmed und ich haben uns gut verstanden, doch er hätte mir nie seine Quelle verraten. Wär auch schön blöd gewesen. Je weniger man weiß, desto weniger kann man erzählen.«

Leider hatte sie recht. Ich glaubte ihr trotzdem nicht.

»Kanntest du seine Familie?«

»Er hat nicht oft von ihr gesprochen.«

»Wußtest du, daß die kleine Schwester seiner Frau an der Fixe hängt?«

»Ja.«

»Wußtest du auch, daß er sie dran gebracht hat?«

Ich hatte keine Ahnung, ob das stimmte oder nicht, aber es war eine Möglichkeit. Sie zögerte. Ihr »Ja« kam dann kurz, halb verschluckt. Ich klopfte mir auf die Schulter und dachte an die Verhältnisse bei der Familie Ergün.

»Aber er wollte sie auch wieder rausholen, aus...«

Sie stockte. Ihre Augen starrten ohne Ziel, versunken in Gedanken, oder Erinnerungen. Es machte sicher keinen Spaß, über das Rauskommen zu sprechen, wenn man selber tief drin saß.

»Wie wollte er sie rausholen?«

»Mit so 'nem Sanatorium, er hatte da 'nen Platz für sie gefunden. Irgend so was jedenfalls.«

Einen ganz neuen Gedanken braute mein Gehirn zusammen.

»Wollte Ahmed aus dem Geschäft aussteigen?«

»Mhmm. Wollte er.«

»Was hat er vorgehabt?«

»Mit der Familie wegziehen. Er hatte ein bißchen Geld und wollte ein Haus kaufen. Weiter weg oder so.«

»Wußte die Familie davon?«

»Glaub nich.«

Ich mußte endlich rausbringen, mit wem Ahmed Hamul den verdammten Stoffhandel gemacht hatte.

»Am Tag seines Todes – war Ahmed hier?«

»Mhmm.«

Sie schaute durch das graue Glas hinaus auf die immer noch sonnige Straße. Ich betrachtete ihren schmalen Rükken. Die Schulterblätter stachen spitz aus dem ausgemergelten Körper heraus.

»Wann war er da?«

»Nachmittags.«

»Genau?«

Sie drehte sich um, drückte die Hände noch tiefer in die Hosentaschen und hatte das erste Mal etwas Klares im Gesicht. Sie war sauer.

»Du blöder Schnüffler, ist das denn so wichtig?«

»Isses.«

Sie kam an den Tisch und riß sich eine Zigarette aus der Schachtel.

»Er kam so um vier und ist um halb sechs wieder weg.«

»Hat er gesagt, wohin er gehen wollte?«

»Nee. Irgendwas abchecken.«

»Stoff?«

»Nee, Gummibärchen.«

»Ich denke, er wollte aussteigen?«

»Dazu braucht man Kleingeld.«

»Mhm. Hat vorher irgend jemand angerufen?«

»Nur so 'n Kumpel von ihm.«

»'n Kumpel?«

»Na ja, 'n Landsmann. Ahmed hat das wenigstens gesagt.«

»Du hast es nicht geglaubt?«

»Weiß nicht. Ich hab den Hörer abgenommen, und der Typ hat 'n ganz normales Deutsch gesprochen, vielleicht 'n bißchen Akzent, aber nich viel.«

»Könnte ein gespielter Akzent gewesen sein?«

»Keine Ahnung.«

»Die Stimme, wie war die?«

»Wie so 'ne Stimme halt is.«

»Tief? Hoch? Verschnupft? Irgendwas besonderes?«

»Eyh, ich hab 'nen halben Satz mit dem gewechselt, ob er Kopfschmerzen oder Fußpilz hat, hab ich dabei nicht rausgekriegt.«

»Ahmed hat deutsch mit ihm gesprochen?«

»Der hat die ganze Zeit nur ›ja‹ gesagt.«

»Wann war der Anruf?«

»Kurz bevor Ahmed gegangen is.«

Ich kratzte mir einen Fingernagel voll Schmalz aus dem Ohr, zerrieb es langsam in der Hand und wartete auf zündende Ideen. Hanna Hecht knabberte an ihren Fingern und betrachtete mich wie einen Staubsaugervertreter.

Irgendwie mußte es einen Zusammenhang geben. Irgendwo mußte der Mensch sitzen, der Ahmed Hamul den Stoff geliefert hatte, und der mich mit einem Fiat zu Matsch fahren wollte oder wenigstens so getan hatte.

Wahrscheinlich war es derselbe, der Ahmed Hamul umgebracht hatte.

»Besitzt du irgendeine Tageszeitung?«

»Hast du vor, länger hier zu bleiben?«

»Solange, bis mir keine Fragen mehr einfallen. Hast du irgendeine Tageszeitung?«

»Nee.«

Ich hob die Parabellum über die Tischkante.

»Laß uns nach nebenan gehen, vielleicht findet sich da was.«

»Was willste denn mit 'ner verdammten Tageszeitung?«

»Wissen, wie die Eintracht gespielt hat. Auf gehts!«

Widerwillig kam sie durch die Küche und ging vor mir her durch Tür und Flur ins andere Zimmer. Schnurrbart schlief immer noch selig.

Das Arbeitszimmer von Hanna Hecht bestand aus zwei mal zwei Meter Bett mit einer himmelblau glänzenden Decke, einem Kleiderschrank und vielen kleinen Kästen mit noch mehr Schubladen. Auf einem weißen Plastiktisch lagen abgegriffene Pornobände. Ich nahm einen und blätterte drin.

»Kann der Kunde sich aus dem Katalog 'ne Übung aussuchen?«

»Er kann sich auch einen runterholen, wenn er will.«

Ich legte das Buch zurück auf den Tisch.

»Also gut, wenn Zeitungen hier sind, gib sie mir.«

»Sind aber keine da.«

Ich zog die Tür vom Kleiderschrank auf und begann, ihre Klamotten durch das Zimmer zu schmeißen. Hanna Hecht wurde weiß. Ihre Augen funkelten mich an; eine Katze, bereit zum Sprung.

Nach einer Weile zog ich den letzten Strumpf raus, und der Schrank war leer. Der Boden sah aus wie ein Wühltisch bei Hertie.

»Scheint nichts drin zu sein, was?«

Hanna Hecht sagte nichts.

Ich begann, die Schubladen aus den Holzkästen auf den Boden zu schütten. Lippenstifte, Haarklammern, Tampons, Briefe, Nähzeug, alles mögliche purzelte durcheinander. Nichts von Interesse.

Eigentlich konnten die zerschnittenen Tageszeitungen nicht hier sein. Aber vielleicht was anderes. Irgendwas, das mich weiterbrachte. Sie kenne keinen Geschäftspartner von Ahmed Hamul, das glaubte ich Hanna Hecht nicht, und ich hoffte, etwas zu finden, das mir recht gab.

Schublade auf Schublade verteilte sich über den weinroten Fusselteppich. Danach nahm ich mir einen Stapel Briefe und schaute die Poststempel an. Alle älteren Datums. Die meisten Absender stammten aus der Kleinstadt Ommersbach. Wahrscheinlich der Geburtsort Hanna Hechts. Überbleibsel aus einer Zeit, in der sie noch Pickelprobleme mit Jugendfreundinnen besprochen hatte.

Ich kam mir vor wie ein Leichenfledderer. Ich legte die Briefe beiseite.

»Immer noch nichts.«

Sie öffnete den Mund, bis sie sehr ruhig und beherrscht sagte: »Wenn sich eine Möglichkeit bietet, dir den Schwanz abzuschneiden, dann schneid ich ihn dir ab!« Ich glaubte ihr.

In der Küche bewegte sich etwas. Ich nahm die Parabellum und Hanna Hecht und ging hinüber zum Kellner. Ich zog ihm noch mal die Kanone über das Ohr, und wir gingen zurück. Ihrem Gesicht nach zu urteilen, war es ihr egal, wie oft ich auf ihrem langen Freund rumklopfte.

Ich nahm das himmelblaue Bettzeug und schmiß es zu dem anderen Kram auf den Boden. Es reichte ihr immer noch nicht. Sie blieb eisern und stumm. Da ich nicht die Mauern einreißen konnte, nahm ich mir den Papierkorb vor. Zerrissenes Papier schaute heraus. Das hatte ich schon bemerkt.

Ich drehte ihn um. Zigarettenkippen, Pariser, eine leere Colabüchse, eine Illustrierte für Sommerstrickmoden, rausgekämmte Haarbüschel und mittendrin ein Haufen zerfledderter Tageszeitungen. Sie waren größtenteils zerschnitten. Ich blies die Asche ab und stand mit dem bedruckten Papier in der Hand auf.

»Fräulein, da hat wer was vergessen.«

Für heute hatte sie beschlossen, den Mund zu zu lassen.

Ich breitete die Tageszeitungen auf dem abgezogenen Bett aus und holte Notizblock und Stift aus der Tasche. Es war mühselig. In der einen Hand die Kanone, in der anderen den Kugelschreiber. Viele Buchstaben waren unsauber ausgeschnitten, und ich mußte mehrere Möglichkeiten aufschreiben. Es dauerte fast eine halbe Stunde, bis ich alle Lücken als Buchstaben definiert in meinem Block stehen hatte. Das sah so aus:

WLNEITFMRUCKWRDTLENIOLOUDLINEOTS
NMENILAHADNEBIILERTSJERTSIEBILDABRE.

Im Moment konnte ich damit nichts anfangen. Der Brief an mich war jedenfalls nicht mit diesen Buchstaben geklebt worden. Ich faltete die Zeitungen zusammen und steckte sie in meine Jackettasche.

»Schwester, ich bin sicher, du weißt, wer den Deal mit Ahmed gemacht hat, und willst dafür kassieren. Aufpassen, könnte dir genauso gehen wie ihm.«

Ihre Augenlider hingen müde über den Pupillen.

»Nich 'ne blasse Ahnung, von was du redest, du Wichser.«

»In Ordnung. Mach, was du willst, viel kannst du nicht mehr verlieren.«

Es war zwecklos. Sie ließ sich nicht aus der Ruhe bringen.

»Der, der deinen geklebten Brief bekommt, wird sich melden. Ich schreib dir meine Adresse auf, vielleicht kannst du meine Hilfe gebrauchen.«

Ich kritzelte die Telefonnummer auf die Tapete über dem Bett. So konnte sie sie nicht sofort zerreißen.

»Zeitverschwendung!«

»Kann sein. Zeitverschwendung wird auch alles sein, was ich demnächst mache. Ich sollte hier sitzen bleiben und warten, bis du auspackst.«

»Mach, is mir scheißegal, Wichser.«

»Krieg ich auch anders raus. Spätestens, wenn du draufgehst, werde ich es wissen. Mörder erpressen ist 'ne Nummer zu groß für 'ne kleine Nutte und ihren Zuhälter. Ist nicht gerade der wildeste Hengst.«

Ich schaute auf die Uhr. Es war kurz vor sechs. Ich mußte Löff anrufen.

»Wenn du merkst, dir wächst da was über den Kopf, melde dich. Ist das letzte, was ich dir sage.«

Ich steckte die Parabellum in die Hosentasche und ging an ihr vorbei zur Wohnungstür. Ein kurzer Blick in die Küche, der Kellner schlief immer noch.

»Schönen Gruß an deinen Freund, wenn er aufwacht. Bis dann.«

Ich zog die Tür langsam zu. Hanna Hecht sagte nichts mehr.

6

»Pünktlichkeit ist eine unerläßliche Voraussetzung, um als Kriminalbeamter erfolgreich arbeiten zu können. Lassen Sie sich das gesagt sein.«

Am liebsten hätte ich aufgelegt.

»Hören Sie, Herr Löff, es war wichtig. Ich erkläre das später. Erzählen Sie, was Sie auf der Polizeiwache rausgekriegt haben, ich muß es dringend wissen.«

»Ich dachte, Sie wollten rauskommen, damit wir das zusammen durchgehen?«

»Hab jetzt keine Zeit. Können wir morgen machen.«

»Wichtig in diesem Beruf ist gründliche Kenntnis der vorliegenden Tatsachen. Unbedachte Eile schadet nur und führt zu voreiligen Schlüssen!«

»In Ordnung, Herr Löff. Wollen Sie mir nun erzählen, was in den Akten steht, oder nicht?«

Er machte eine Pause. Ich bekam Angst, er würde auf meinem Besuch bestehen.

»Warten Sie.«

Er ließ sich Zeit. Die Akten lagen sicher direkt neben dem Telefon. Ein aufgeregter Mann mit ledernem Köfferchen klopfte an die Zelle und ließ seine Hand durch die Luft flattern. Nach seiner Meinung hatte ich genug telefoniert. Löff kam nicht. Ich verfluchte ihn.

Der Mann schob die Zellentür auf.

»Gehört Ihnen das Telefon?«

»Hauen Sie ab, Mann.«

»Wie bitte?!«

»Wie bitte?«

Löff und der Mann gleichzeitig.

»Herr Löff, es tut mir leid, hier stört jemand.«

Ich hielt die Muschel zu.

»Suchen Sie sich 'ne andere Zelle, gibt doch genug!«
Der Mann knallte die Tür zu und schwang die Faust.

»Hätten sich mal ein bißchen beeilen können.«

»Ich habe auch noch was anderes zu tun, Herr Kayankaya, als Ihre Arbeit zu machen.« Das war gelogen.

»Okay, was steht in den Akten?«

»Ich habe nur etwas über die Unfälle gefunden. Dem
Rauschgiftdezernat sind Ihre beiden Kandidaten nicht
bekannt.«

»Noch nicht einmal die Namen? Mit wem haben Sie da
gesprochen, war das so ein verkatert aussehender Brillen-
träger?«

»Georg Hosch, wenn Sie den meinen.«

»Mein ich wahrscheinlich. Na gut, was gibts über die
Unfälle?«

»Der erste Unfall war am neunzehnten Februar neunzehnhundertneunundsiebzig, Niddastraße, Ecke Lud-
wigstraße. Beteiligte waren Vasif Ergün und ein gewisser
Albert Schönbaum.«

»Hat der eine Adresse?«

»Warten Sie es doch ab! Albert Schönbaum wohnte
damals Schumannstraße dreiundzwanzig; Telefonnummer ist einundsiebzig achtundfünfzig vierzig. Der Unfall-
ver...«

»Moment, ich muß den Kram auch aufschreiben.«

Den Hörer zwischen Schulter und Ohr geklemmt,
schrieb ich ins Notizbuch. Die Muschel roch nach verschwitzten Händen.

»Weiter.«

»Der Unfallverlauf ist nur ungenau festgehalten. Raus
kommt jedenfalls, Albert Schönbaum hat durch über-

höhte Fahrgeschwindigkeit und mangelhaften Fahrzeug-zustand den Unfall verschuldet. Wie es genau dazu ge-kommen ist, läßt sich der Akte nicht entnehmen.«

»Ach was! Da steht wirklich drin, der andere war schuld? Gibts doch nicht. Wer hat denn den Unfall aufgenommen?«

Löff machte eine Pause. Ich hörte Papier knistern.

»Passen Sie auf, jetzt kommts!«

Ich argwöhnte, der Alte wolle sich wichtig machen.

»Kommt was?«

»Auf Streife waren Harry Eiler und Georg Hosch. Sie kümmerten sich um den Unfall. Georg Hosch hat das Protokoll aufgesetzt, und Paul Futt war diensthabender Vorgesetzter. Er unterschrieb das Ganze.«

Ich preßte den Hörer ans Ohr.

»Ach... nee...!«

»Tja, iss'n Ding. Ob Sie das nun als Zufall betrachten wollen oder lieber bißchen drin rumwühlen, ist Ihre Sache. Ich persönlich glaube, da besteht keinerlei Zusam-menhang zum Mord, um den Sie sich zu kümmern haben. Ich weiß, Sie mögen Futt nicht, aber verbeißen Sie sich nicht in eine verwegene Theorie. Es könnte Ihnen schlecht bekommen. Futt ist inzwischen angesehener Kripokom-missar.«

Im Augenblick hatte ich überhaupt keine Theorie, weder eine verwegene noch eine andere.

»Ja... ja, was gibts zu dem zweiten Unfall?«

»Ich sag's Ihnen nochmal, laufen Sie nicht ins offene Messer. Es gibt manchmal solche Zufälle.«

Wieder eine Pause.

»Es kommt noch dicker. Das Datum des zweiten Unfalls haben sie. Er ereignete sich auf der B vierzehn,

Frankfurt Richtung Kronberg, kurz vor Kronberg, bei Kilometerstein sechsunddreißig. Nach dem Protokoll ist Vasif Ergün gegen einen Betonpfeiler gefahren. Das Auto hat sich überschlagen, ist explodiert und anschließend in einen Graben gestürzt. Ärztliche Hilfe kam zu spät.«

»Was Sie nicht sagen. Wer ist hier der Protokollant?«

»Streife waren Erwin Schöller und Harry Eiler. Harry Eiler hat das Protokoll geschrieben.«

»Bißchen viel Zufälle. Meinen Sie nicht auch?«

»Denken Sie, was Sie wollen, Herr Kayankaya. Nur, seien Sie vorsichtig.«

»Wer ist Erwin Schöller?«

»Dachte ich mir, daß Sie das wissen wollen. Erwin Schöller war bis neunzehnhunderteinundachtzig normale Streife in Frankfurt und hat sich dann nach Pfungstadt versetzen lassen.«

»Adresse hat er?«

»Pfungstadt, Ladenstraße drei, Telefonnummer fünfundneunzig zehn dreiunddreißig.«

Ich schrieb das auf. Die Gedanken schossen mir kreuz und quer durchs Gehirn.

Bisher hatte ich wirklich nicht gewußt, wo ich weitermachen mußte. Jetzt wußte ich nicht, wo anfangen.

»Hatten die vier, Futt, Eiler, Schöller und Hosch, früher schon einmal etwas miteinander zu tun gehabt?«

»Futt war neunzehnhundertfünfundsiebzig Ausbilder von Harry Eiler und Georg Hosch. Futt ist dann zum Rauschgiftdezernat gegangen und hat sich später Hosch als festen Mitarbeiter geholt.«

»Wird immer schöner. Der Zufall will es, und die drei kommen überhaupt nicht mehr voneinander los! So 'n kleiner Verein ist die Polizei doch nicht, die müssen doch nicht ständig übereinander stolpern. Schicksal in allen Ehren, Herr Löff, aber...«

»Ich weiß, was Sie sagen wollen, Herr Kayankaya. Aber lassen Sie sich von einem erfahrenen Polizisten sagen, wenn da was faul gewesen wäre, man hätte es herausgefunden. Auch bei der Polizei mag es die eine oder andere nicht ganz saubere Sache geben, aber keine wirklichen Schweinereien. Sie müssen mir glauben, ich kenne den Laden besser.«

Ich las mir meine Notizen durch. Futts Karriere war musterhaft.

»Beim ersten Unfall war Futt diensthabender Vorgesetzter und gleichzeitig im Rauschgiftdezernat. Was hatte er da auf der Wache zu suchen?«

Löff bemühte sich um einen anderen Ausdruck für Zufall. Er fand ihn nicht.

»Keine Ahnung. Vielleicht zu Besuch.«

»Klar, vielleicht war er hinterm Bahnhof spazieren und mußte plötzlich auf die Toilette: Dann ging er auf die Wache pinkeln, und weil er schon mal da war, hat er sämtliche Protokolle unterschrieben. Tschuldigung, Herr Löff, aber ich dachte, die Polizei hielte was auf Disziplin und Ordnung.«

»Auf jeden Fall hatte Futt durch seinen Dienstgrad die Berechtigung zu unterschreiben.«

»Da bin ich beruhigt.«

Löff konnte mir nicht mehr weiterhelfen. Ich mußte mit anderen Leuten telefonieren. Er brummelte beleidigt und wollte mich nur ungern vom Telefon entlassen. Wir verabredeten uns für den nächsten Tag. Das besänftigte ihn, und ich legte auf.

7

Als ich die Treppe zum Büro hochstieg, klingelte das Telefon. Ich sprang die letzten Stufen, schloß hastig die Tür auf und riß den Hörer von der Gabel. »Kayankaya am Apparat.«

Er oder sie legte auf. Eine Weile lauschte ich auf das Knacken in der Leitung.

Das Büro war von dem heißen Tag mit faulig riechender Wärme aufgeladen. Ich zog den Rolladen hoch, öffnete das Fenster und setzte mich mit einer Flasche Bier an den Schreibtisch. Ich nahm einen langen, kühlen Schluck und dachte an Susanne Böhnisch. Im Moment mußte sie wieder zahlenden Herren am Hosenlatz zupfen.

Die Flasche war schnell alle, und ich öffnete eine neue. Ich war schon dabei, mir zu sagen, der heutige Tag wäre erfolgreich genug gewesen, und ich könnte mir einen Abend vor dem Fernseher gönnen, als das Telefon erneut klingelte. Diesmal blieb der Anrufer dran. Es war Ilter Hamul.

Sie wollte wissen, ob ihr Bruder bei mir sei.

»Ist er nicht. Warum?«

»Er ist, wie gewöhnlich, um sechs von der Arbeit nachhause gekommen, aber als er erfahren hat, daß Sie heute morgen mit meiner Mutter gesprochen haben, ist er ohne ein Wort wieder gegangen.«

»Regen Sie sich nicht auf, Frau Hamul. Vielleicht trinkt er nur irgendwo ein Bier. Hier ist er jedenfalls nicht. Warum sollte er auch.«

Ich überlegte, ob ich Ilter Hamul auf Ahmeds Drogenhandel und ihre fixende Schwester ansprechen sollte. Könnte sie mir etwas Neues erzählen? Ich glaubte nicht und ließ es. Außerdem hatte ich Angst, ihr als erster die Tatsache vor Augen zu zerren.

»Ist sonst alles soweit in Ordnung bei Ihnen?«

»Ja, ja. Nur... eine Rechnung ist angekommen, für Ahmed. Ich weiß nicht, was ich damit machen soll.«

»Was für eine Rechnung?«

»Eine unbezahlte Rate, oder so... für ein Haus. Aber das kann nicht sein, wir wollten uns kein Haus kaufen... da ist was falsch. Ganz bestimmt.«

»Der Absender, wer hat die Rechnung geschickt?«

»Die Stadt heißt Lüneburg. Aber es ist keine richtige Rechnung, eher ein Brief. Der Mann schreibt, er will Ahmed an die zweite Rate für das Haus erinnern. Ich verstehe das nicht.«

»Frau Hamul, ich komme morgen vorbei, und dann schauen wir uns das zusammen an, in Ordnung? Solange lassen Sie den Brief liegen und machen sich keine Sorgen.«

»Ich werde es versuchen.«

Wir verabschiedeten uns. Ich trank und rauchte, schoß Ringe in die Luft und ließ meine Gedanken wegschwimmen. Das Bier legte einen Schleier über meine Augen. Ich schob die Beine auf den Tisch und rutschte in eine bequeme Lage. Das Bier lief und lief wie in einen trockenen Schwamm. Dann fiel die Flasche auf den Boden, und ich schloß die Augen. Ich war angetrunken und müde. Es war wohlig warm.

Gerade als der Schatten langsam auch über mein Gehirn zog, schrillte die Türklingel.

»Scheiße.«

Ich rappelte mich hoch, schlurfte zur Tür und drückte die Klinke herunter. Erst sah ich tranig in die Mündung. Dann war ich mit einem Schlag hellwach. Zwei Monster standen vor mir. Beide im Overall und mit dicken Fallschirmspringerstiefeln. Auf den Köpfen Gasmasken und darüber Gummistrümpfe. Der eine zielte mit einer mittelgroßen Gaskanone auf meine Stirn. Der andere hatte die Finger am Abzug einer kleineren Pistole. Sie standen vor mir und sagten nichts.

Langsam hob ich die Arme und machte einen Schritt rückwärts ins Zimmer. Der Schweiß brach mir aus allen Poren. Die Knie zitterten leicht gegeneinander. Ich machte den Mund auf, kriegte aber keinen Ton heraus.

Die zwei standen immer noch reglos vor mir.

Ich merkte, wie meine Muskeln die Starre nicht mehr ertrugen, sich verkrampften und zu zucken anfingen. Etwa eine Minute standen wir uns so gegenüber, dann begann sich der mit der Gaskanone zu bewegen.

Er machte drei kurze Schritte auf mich zu und bedeutete mir mit dem schwarzen Rohr, weiter zurück zu gehen. Ich ging vorsichtig in die hinterste Ecke, ohne eine verdächtige Bewegung zu riskieren. Der eine hielt die ganze Zeit das Rohr auf mich, während der andere Tür und Fenster schloß. Er ließ auch die Rolläden herunter. Nun befanden wir uns im Dämmerlicht.

Ich hatte das Bedürfnis zu schreien, aber im Haus war sowieso niemand mehr. Ich überlegte, was ich die beiden fragen könnte. Mir fiel nichts ein. Wer sie waren, würden sie mir sowieso nicht erzählen, und was sie wollten, konnte ich noch früh genug erfahren. Also blieb ich stumm.

Mein Bewacher ließ mich keinen Augenblick aus den Augen, sonst hätte ich alles auf eine Karte gesetzt. Nachdem Tür und Fenster verschlossen waren, kam der andere auf mich zu und durchsuchte meine Hose und Jacke nach

Schußwaffen. Die Parabellum lag im Auto. Hier hätte sie mir ohnehin nichts genützt.

»Wir haben dich gewarnt!«

Durch die Gasmaske klang die Stimme blechern.

»Wir haben dir gesagt, du sollst dich raushalten!«

»Wer ist ›wir‹?«

Ich hatte meine Stimme wieder gefunden.

»Denk mal nach!«

Er ließ die Gaskanone um meinen Kopf kreisen. Ich konnte sein Gesicht nicht sehen, aber wahrscheinlich grinste er dabei. Plötzlich riß er das Rohr in die Luft und drückte ab.

Es krachte, und ein Haufen Funken sprühten durchs Zimmer. Die Gasgranate platzte, und dichte Rauchschwaden machten sich breit. Der ätzende Dampf drang bis in die letzte Ecke. Ich hielt mir das Hemd vor die Nase, kniff die Augen zusammen, es nützte nichts. Das Tränengas war für mein kleines Büro zu stark dosiert, nur eine Gasmaske hätte schützen können.

Die Suppe floß aus Augen, Mund, Nase, und es wurde immer schlimmer. Ich schmiß mich auf den Boden, hämmerte die Fäuste aufs Linoleum, zerriß mein Hemd und drückte es mir aufs Gesicht. Es nützte nichts. Ich versuchte mich aufzurichten, stürzte sofort wieder hin, versuchte es noch einmal und krachte mit dem Ellbogen auf die Stuhllehne. Es tat weh, war aber lange nicht so schlimm, wie das verfluchte Gas in meinem Kopf. Ich schlug meinen Schädel gegen die Schreibtischwand, der brennende Dampf ging nicht weg. Ich schrie, brüllte, schlug um mich. Ich sah nichts mehr, spürte nur noch die verätzten Augen. Dann begannen sie, mich mit ihren Fallschirmspringerstiefeln zu treten. In den Bauch, ins

Gesicht, überall hin. Verschwommen sah ich sie wie riesige Schatten über mir. Ich mußte kotzen.

»Laß deine Finger von Ahmed Hamul, ein für allemal! Verstehst du?! Wir machen dich sonst alle, Kanake!«

Sie hörten nicht auf, mir ihre Stiefel in den Körper zu hacken. Das Gas legte sich auf die aufgeplatzten Wunden. Ich versuchte den brennenden Schleim mit den Fingernägeln abzukratzen. Nichts half. Jetzt traten sie mir in den Rücken, in die Nieren. Ich spürte es kaum noch.

»Wenn du das überlebst, haust du ab! Klar?«

Ich zwang mich, die Hände um die Beine zu krampfen, aus Angst, ich könnte mir die Augen auskratzen. Irgendwann mußten sie aufgehört haben. Sie sind weg, dachte ich und kroch um den Schreibtisch herum, rutschte immer wieder weg und blieb liegen. Doch dann hatte ich es geschafft.

Sie waren noch da. Sie schrien mir etwas zu. Ich verstand es nicht. Sie standen an der Tür. Der eine schwang die Kanone. Direkt neben mir krachte es entsetzlich. Mit letzter Kraft schmiß ich mich in Richtung Tür, um die Granate nicht genau vor dem Kopf zu haben. Die zweite Gasladung haut dich total um, dachte ich, wußte aber gleichzeitig, sie waren gegangen. Ich griff um mich, riß und stieß, sah nichts, doch dann hatte ich die Tür gefunden. Ich hängte mein ganzes Gewicht an die Klinke. Sie hatten sie abgeschlossen.

Ich merkte, wie mir die Luft weg blieb. In diesem Raum gab es nichts mehr zu atmen. Meine Lungen zogen sich zusammen. Noch einmal bäumte ich mich auf, schleppte mich zum Fenster und stieß den Kopf durch die Scheibe. Trotz Rolladen, es gab Sauerstoff.

Es dauerte eine Weile, dann konnte ich den Rolladen

hochziehen. Immer noch halb blind, tastete ich nach dem Ersatzschlüssel und schloß die Tür auf.

Ich rief einen Arzt an, gab ihm die Adresse vom Büro und wurde ohnmächtig.

»Langsam, Herr Kayankaya, ganz langsam, Sie dürfen sich nicht anstrengen.«

Vorsichtig richtete ich mich in einem weißen Bett auf.

»Wo bin ich hier?«

»In meiner Praxis, und da bleiben Sie vorerst auch.«

Zwei alte, warme Augen schauten mich aus einer Brille mit Goldgestell an.

»Kann ich nicht.«

Ich hievte meine Beine über die Bettkante und stellte die Füße auf den Boden.

»Versuchen Sie nur aufzustehen, wenn Sie unbedingt wollen. Sie werden schon sehen, was passiert.«

Ich versuchte es und knallte auf den Kachelboden.

»Jetzt soll ich Ihnen helfen. Nicht wahr?«

»Nee.«

Langsam zog ich mich am Bettgeländer hoch. Ich hatte das Gefühl, als habe man mir das Rückgrat genommen. Trotzdem schaffte ich es zum Waschbecken.

»O Gott!«

»Tja, ich weiß nicht, wie Sie vorher aussahen, aber...«

Im Spiegel sah ich aufgedunsenen rosa-braunen Matsch. Der linke Schneidezahn war abgebrochen und ein Auge völlig zugeschwollen.

»Sie haben Glück gehabt, daß Sie mich noch anrufen konnten. Roch übrigens fürchterlich. Die paar Minuten in Ihrem Büro haben mir gereicht. Aber wer hat Sie nur so schlimm zugerichtet?«

Ich ließ kaltes Wasser übers Gesicht laufen. Das tat gut.

»Als Notarzt kommt man mit so was öfter in Berührung, aber Sie sind schon verdammt übel zugerichtet. Kompliment.«

»Danke.«

»Sie sind Privatdetektiv, habe ich gelesen. Ist scheinbar ein anstrengender Job.«

»Mhm, heut war er anstrengend.«

Er setzte sich an den Schreibtisch und begann zu tippen. Ich hatte das Gefühl, die Schreibmaschine stehe auf meinem Schädel.

»Sagen Sie bitte ... solange ich hier bin, würde es Ihnen etwas ausmachen, nicht auf der Maschine herumzuhämmern?«

Er lächelte.

»Geben Sie zu, Sie sind anständig demoliert.«

»Ach Gott, tippen Sie Ihren Kram zu Ende.«

Ich hangelte mich zurück ins Bett.

»Haben Sie eine Zigarette für mich?«

»Als Arzt ...«

»Haben Sie eine oder nicht?«

Er lächelte wieder.

»Warten Sie, in Ihren Kleidern waren welche.«

Er ging in die Ecke, wo meine Hose und mein Jackett hingen. Er zog die Packung raus und warf sie mir zu.

»Danke. Feuer?«

Er holte Streichhölzer. Ich zündete mir eine Zigarette an. Im ersten Moment glaubte ich, erneut in Ohnmacht zu fallen; aber dann wurde es angenehm. Ich bekam Hunger und Durst.

»'n Schluck Bier oder 'n belegtes Brötchen gibts hier nicht?«

»Gibts alles. Sie werden sich aber sofort wieder überge-
ben.«

»Werden wir sehn.«

Er ging hinaus. Ich erreichte meine Kleider und begann
mich anzuziehen. Es war anstrengend, ging aber besser als
ich dachte. Die Tür öffnete sich, und der Arzt kam
zurück.

»Schinken, Leberwurst und Käse – alles, was das Herz
begehrt…«

Er stockte einen Moment und sah sich um.

»Na, was soll ich denn dazu sagen?«

»Was Sie wollen.«

»Ist mir alles egal, Sie müssen mir nur unterschreiben,
daß Sie auf eigene Verantwortung gehandelt haben.«

»Unterschreib ich Ihnen.«

»Wenn ich Ihnen einen Tip geben darf, legen Sie sich für
zwei, drei Tage ins Bett, das wird das beste sein.«

»Mach ich. Ab übermorgen.«

Ich schleppte mich zum Schreibtisch und nahm mir ein
Käsebrötchen. Mir wurde nicht übel.

»Bier gibts nicht?«

»Doch, eins, und das ist für mich.«

»Mhmm.«

Ich kaute auf dem Brötchen herum und tastete meinen
Bauch ab.

»Schlimmere Verletzungen habe ich nicht?«

»Eine Rippe könnte angebrochen sein, aber das merken
Sie dann. Auf jeden Fall werden Sie sich in den nächsten
Tagen nochmal bei mir melden müssen.«

»Wo muß ich was unterschreiben?«

Er schob mir ein vorgedrucktes Papier hin. Ich unterschrieb und nahm mir ein Schinkenbrötchen.

»Na dann, bis demnächst.«

Er tippte sich an die Stirn.

»Kommen Sie übermorgen vorbei!«

»Mach ich.«

»Und schonen Sie sich. Noch so ein Abenteuer, und Sie kommen das nächste Mal nicht so davon.«

»Werd ich mir merken. Schönen Abend noch.«

»Sie auch. Bushaltestelle ist übrigens um die Ecke. Wir sind im Westend. Ich weiß nicht, wo Sie hinwollen.«

»Aber ich. Danke.«

8

»Bei Schöller.«

»Guten Abend, Herr Schöller. Hier spricht Kemal Kayankaya. Ich arbeite im Auftrag der Staatsanwaltschaft und muß einen Fall recherchieren, bei dem Sie vor längerer Zeit mittelbar beteiligt waren.«

Das Sprechen machte Mühe. Außerdem glitt meine Zunge immer wieder über den abgebrochenen Zahn. Auf das rechte Auge preßte ich einen nassen Waschlappen.

»Sie sind doch Erwin Schöller, nicht wahr?«

»Bin ich.«

»Können Sie sich an den fünfundzwanzigsten April neunzehnhundertachtzig erinnern?«

»Wenn Sie mich so fragen, nein. Was soll denn da gewesen sein?«

»Sie waren auf Streife mit einem gewissen Harry Eiler. Im Lauf des Tages hatten Sie einen Unfall in der Nähe von Kronberg aufgenommen. Sagt Ihnen das was?«

Eine Weile blieb es still.

»Ja, ja... doch, das sagt mir was.«

»Dann versuchen Sie sich, so gut es geht, daran zu erinnern. Erzählen Sie mir, wie Sie den Unfall gefunden haben und alles weitere.«

Er räusperte sich und ließ sich Zeit.

»Tja... Sie arbeiten für die Staatsanwaltschaft?«

»Richtig.«

»Na ja, wissen Sie... ich kann Ihnen da nichts Genaues sagen... ich war nämlich gar nicht dabei...«

»Was soll das heißen?«

»Hören Sie, ich will niemanden belasten, und...«

»Es geht nicht darum, jemanden zu belasten.«

»Na gut. Also, das war so. Ich hatte damals 'ne kleine Freundin in der Stadt, verstehen Sie?... Na, ja, und der Harry und ich, wir haben die Streife oft zusammen gemacht. Da hatte ich mit ihm abgesprochen, er fährt manchmal alleine, und ich kann einen Besuch machen. Dafür hab ich für ihn die Protokolle getippt... Wissen Sie, ich habe Frau und Kinder, da muß man sich schon was einfallen lassen.«

»Klar. Und an diesem Tag waren Sie auch bei Ihrer Freundin?«

»Ja, eigentlich... das war nicht geplant... der Harry hat mich, als wir im Auto saßen, gefragt, ob ich heute nicht Lust hätte, einen Ausflug zu machen. Ihm würde es nichts ausmachen, und nächste Woche hätte ich ja Ferien, müßte dann doch mit der Familie weg, und so weiter. Na ja, war ich natürlich mit einverstanden.«

»Wenn jemand merkt, daß Sie Ihre Streife auf diese Art handhaben, gibts da keinen Ärger?«

»Doch... schon. Aber meine Freundin hat genau in dem Bezirk gewohnt, den wir abzufahren hatten. Wenn was Ernsthaftes passiert war, hat der Harry mich angerufen, und ich bin losgerannt... Das war auch das Komische an dem Tag, den Sie meinen, auch für mich. Der Harry hatte nämlich nichts in Kronberg zu suchen. Wir mußten ziemlich rumtricksen, damit das nicht offiziell wurde.«

»Hat Harry Ihnen erzählt, warum er in Kronberg gewesen ist?«

»Er meinte, das Wetter wäre schön gewesen, und er hätte einfach Lust gehabt, was Grünes zu sehen.«

»Hat er Ihnen den Unfall beschrieben?«

»Daß es schlimm war, sonst nichts.«

»Vielen Dank, Herr Schöller. Sie haben mir sehr geholfen.«

»Wird deshalb irgendwas mit uns passieren?«

»Nein, nein, keine Angst, Herr Schöller. Auf Wiedersehen.«

Ich legte schnell auf und schnitt ihm die nächste Frage ab.

Ich ging zum Waschbecken und tränkte den Lappen mit frischem Wasser. Noch ein Anruf, dann wollte ich mich ins Bett legen. Ich griff erneut zum Hörer und wählte die Nummer von Albert Schönbaum. Es tutete lange, bis jemand abhob.

»Hallo?«

»Guten Abend, bin ich richtig bei Schönbaum?«

»Ja, wer spricht denn dort?«

»Sie kennen mich nicht. Ich heiße Kayankaya und muß Herrn Schönbaum sprechen, sind Sie das?«

»Nee. Warten Sie, ich ruf ihn mal.«

Ich hörte ihn »Albi« schreien. Albi kam nach etwa fünf Minuten.

»Schönbaum.«

»Abend, Herr Schönbaum. Ich bin Kemal Kayankaya, Privatdetektiv. Ich möchte Ihnen ein paar Fragen stellen, wenn es Ihnen nichts ausmacht.«

»Privatdetektiv? Gibts doch gar nicht.«

»Gibts, glauben Sie mir.«

»Mhmm, na und?«

»Sie waren am neunzehnten Februar neunzehnhundertneunundsiebzig in einen Unfall verwickelt, stimmts?«

»Sind Sie von 'ner Versicherung?«

»Sie wissen also, wovon ich spreche?«

»Mhmhm.«

»Ich bin nicht von der Versicherung, wenn Sie das beruhigt. Ich will wissen, ob Sie an dem Unfall schuld waren.«

»War ich nicht.«

»In der Polizeiakte steht das aber.«

»Weiß ich, offiziell war ich das schon.«

»Wie bitte?«

»Das war so, der Junge is' mir von links in die Tür geknallt, klare Sache. Dann sind wir zu den Bullen gefahren, um das amtlich zu machen. Doch zuerst haben die 'ne Weile mit dem Typen gequatscht, der kam aus der Türkei. Na, ich hab gewartet, bis sie damit fertig waren. Danach kam ein Bulle zu mir und hat mich gefragt, ob ich 'ne anständige Versicherung hätte, und ob ich nich die Schuld übernehmen könnte. Zuerst dachte ich natürlich, na hallo, was werden denn hier für Deals geschoben, aber dann hat er mir das erklärt. Der Türke hätte keine Versicherung, müßte ins Gefängnis oder würde abgeschoben und so weiter, die ganze Leidensgeschichte. Na ja, das Angebot war, er schiebt mir zwei Tausender unter der

Hand rüber, und ich check den Unfall über meine Versicherung. Ich war natürlich baff. Aber wenn die Bullen schon mal menschlich sind, will ich mich nicht quer legen. Ende der Story. Ich bin am nächsten Tag die Kohle bei dem Türken abholen gegangen, und meine Versicherung hat gezahlt. Das is alles.«

Ich war auch baff.

»Als Sie das Geld von dem Türken geholt haben, was hat der da gesagt?«

»War irre freundlich, hat sich die ganze Zeit bedankt. Sonst nichts. Kann man aber auch verstehen, möchte auch nicht nach Anatolien geschickt werden.«

»Danke, Herr Schönbaum. Kann ich Sie in der nächsten Zeit unter dieser Telefonnummer erreichen?«

»Sicher, warum?«

»Vielleicht melde ich mich nochmal. Bis dahin, auf Wiederhören.«

»Ja, tschüss.«

Ich suchte Musik im Radio, wählte leise Klassik, knipste das Licht aus und legte mich ins Bett.

Dritter Tag

1

Vier graue Betonpfeiler ragten sinnlos in den Himmel. Nur ein paar Vögel nutzten sie als Rastplatz. Irgendwann waren sie wohl in eine Brücke verplant gewesen. Die Brücke hatte man nicht gebaut.

Ich zog mich aus dem Auto und ging zum rechten vorderen Pfeiler. Die roten Lackspuren von Vasif Ergüns Wagen konnte man noch jetzt sehen. Zwei Meter weiter zog sich der Graben entlang. Direkt hinter den Pfeilern standen die ersten Häuser von Kronberg. Davor lagen endlose Kartoffeläcker. Ich lief hundert Meter zu einem Bungalow und drückte auf die Klingel neben der Gartenpforte. Ein Vorhang bewegte sich. Wenig später ging die Haustür auf.

»Was wünschen Sie?«

»Mein Name ist Kayankaya, ich bin Privatdetektiv und würde Ihnen gerne eine Frage stellen.«

Sie blieb unschlüssig stehen. Zum Einladen sah ich nicht aus. Mein Gesicht war immer noch dick geschwollen und zur Hälfte mit schwarzer Kruste überzogen. Außerdem tat mir der Brustkorb fürchterlich weh, aber das konnte sie nicht sehen.

»Privatdetektiv?«

Sie trug einen dunkelblauen Jogginganzug und war um die Vierzig.

»Kommt nicht alle Tage vor, ich weiß.«

Langsam klapperte sie mit ihren Clogs über die Steinplatten zu mir runter.

Ich lächelte. Sicherlich sah es fürchterlich aus. Sie lehnte sich auf die Pforte.

»Und die wäre?«

»Was?«

»Die Frage?«

Das geschminkte Gesicht schaute mich mißtrauisch an.

»Vor drei Jahren war hier ein Unfall, hundert Meter weiter, dort bei den Betonpfeilern, erinnern Sie sich?«

»Wo der Türke gegengefahren ist?«

»Genau. Waren Sie an dem Tag zufällig zuhause?«

»Ja, war ich. Habe aber nichts gesehen. Ich war hinten im Garten.«

»Kennen Sie jemand, der hier wohnt oder gewohnt hat, der den Unfall beobachten konnte?«

»Nee, so was geht so schnell. Den Knall haben wir alle gehört, aber sonst... das heißt, warten Sie mal...«

Sie legte die Finger über den Mund und dachte nach.

»...da war jemand, und zwar die älteste Tochter von dem Hornen, das ist der Bauer da drüben.«

Sie zeigte auf einen Hof gegenüber.

»Aber die ist tot.«

»Die ist tot?!«

»Ja, ja, jetzt erinnere ich mich. Direkt nach dem Unfall ist ihr ein Dachziegel auf den Kopf gefallen. Sie hatte immer viel Pech.«

»Aber den Unfall hatte sie gesehen?«

»Ja, ja. Hatte sich sogar damit noch ziemlich wichtiggemacht.«

»Wieso hat sie sich wichtiggemacht?«

»Na ja, wichtiggemacht. Wie so Bauernmädchen eben

sind. Nie passiert was im Ort, und wenn mal was los ist, wie so ein Autounfall direkt vor der Tür, wird ein Abenteuer draus gemacht.«

»Was hat sie denn erzählt?«

»Ach, Spinnerei. Es wäre kein Unfall gewesen. Ein Auto hätte das andere abgedrängt, oder so was. Vollkommener Blödsinn. Direkt danach war die Polizei da und hat alles ordnungsgemäß aufgenommen. Die hätten schon gemerkt, wenn was faul gewesen wäre.«

»Das Mädchen ist gleich danach umgekommen?«

»Am nächsten Abend. War schon tragisch.«

Ich sah zu dem Hof hinüber.

»Meinen Sie, Herr Hornen ist zuhause?«

»Bestimmt.«

»Ich werde mal zu ihm gehen. Vielen Dank für die Auskunft. Auf Wiedersehen.«

»Wiedersehen.«

Sie klapperte zurück in den Bungalow.

Bauer Hornen hatte einen sauberen Hof. Keine Holzlatte, kein Strohhaufen, nicht mal Hundekacke lag auf den gefegten Steinen. Den Stall zierte ein neues Tor, und die Fensterläden waren frisch gestrichen. Über der Haustür hing was Schmiedeeisernes. Auf den Fensterbänken standen üppige Blumenkästen.

Ich klopfte an die Tür. Ein Hund fing an zu bellen.

»Wessen da?«

Ich sagte laut meinen Spruch auf, und kurz danach stand der Bauer vor mir.

»Herr Hornen?«

»Mhmm.«

»Ich habe eine Frage wegen Ihrer vor drei Jahren verstorbenen Tochter.«

»Frache Se doch.«

»Wie ist sie genau umgekommen?«

»Zischel uffen Kopp.«

»Wo?«

»Lings runner, zwaa Häuser weider.«

»Wann genau?«

»Sechsunzwansischster April neunzehnhunnertachtzisch, sibbe Uhr awends.«

»War sie sofort tot?«

»Ja.«

»Was hat der Arzt gesagt?«

»Zischel uffen Kopp.«

»Wie heißt der Arzt?«

»Langner, lings nunner, dridde Schtraß rechts, zwaades Haus lings.«

»Danke.«

»Bidde.«

Er zog die Tür zu.

Ich ging hinter die Pfeiler zurück, holte meinen Opel und fuhr zu Doktor Langner.

»Privatdetektiv?«

Ich steckte meine Lizenz wieder ein.

»Ja.«

»Bitte, kommen Sie rein.«

Er führte mich durch Flur und Wartezimmer in sein Büro.

Langner war selber an die Tür gekommen, nachdem eine Empfangsschwester meine Visitenkarte überbracht hatte. Während wir den Warteraum durchquerten, musterten mich die Patienten verständnisvoll. Mein Gesicht wies mich als besonders dringenden Fall aus.

»Was kann ich für Sie tun?«

»Sie haben vor drei Jahren einen Totenschein für die Tochter des Bauern Hornen ausgestellt, nicht wahr?«

»Ja, wieso?«

»Ich will wissen, ob es ein Ziegelstein oder ein Dachziegel war, der das Mädchen getötet hat, beziehungsweise, ob da Zweifel bestanden haben.«

Er rückte sich in seinem Stuhl zurecht.

»Ich weiß nicht, wie Sie darauf kommen, mich das zu fragen. Sie werden Ihre Gründe haben.« Pause.

»Zweifel gab es, aber nur bei mir. Für die Familie und für den Ort war es ein Dachziegel, und entsprechend habe ich den Totenschein ausgestellt. Sie können mir das vorwerfen, wenn Sie wollen. Doch selbst wenn ich meine Zweifel angemeldet hätte, sie wären ohne Folgen geblieben.«

Er war in seiner Ehre als Arzt getroffen. Aber er war ehrlich.

»Was könnte denn die wahrscheinliche Todesursache gewesen sein?«

»Nach dem Schädelbruch zu schließen, muß es eine schwere Stange oder ein Balken gewesen sein. Jedenfalls kein einzelner Ziegel. Der Bruch lief lang und gerade über den Knochen. Dazu war der Ziegel zu kurz.«

»Den Ziegel hat man gefunden?«

»Er lag neben ihr, neben vielen anderen. Das Dach darüber wurde zu der Zeit neu gedeckt.«

»Würden Sie die Fehldiagnose vor Gericht zugeben und über die nach Ihrer Meinung zutreffende unter Eid aussagen?«

Er sah lange auf seine Hände. Dann hob er den Kopf.

»Ja, das würde ich machen.«

2

»Also dann, in zwanzig Minuten am Präsidium. Können Sie bis dahin einen Kassettenrekorder auftreiben?«

»Wozu brauchen Sie einen Kassettenrekorder?«

»Seltene Vogelstimmen. Muß aber mit Batterie sein.«

»Ich werds versuchen, irgendwo haben wir so was. Ich frage meine Frau.«

»Beeilen Sie sich.«

»Ja, ja.«

Eine halbe Stunde später bog der blaue Benz in die Einfahrt des Polizeipräsidiums. Ich ging über den Kies auf ihn zu. Löff stieg mit einer glänzenden, schwarzen Aktentasche aus dem Auto. Er hatte Schlips und Anzug angelegt.

»Morgen, Herr Löff, haben Sie ein Tonband aufgetrieben?«

Er zog ein uraltes kleines Gerät aus der Aktentasche. Ich nahm es in die Hand und testete die Qualität der Aufnahme. Sie war nicht berauschend, aber für meine Zwecke langte es. Ich gab es Löff zurück.

»Behalten Sie es erst einmal. Noch brauchen wir es nicht.«

»Herr Kayankaya, was halten Sie davon, mir endlich zu erklären...«

»Nichts. Ich kann Ihnen noch nichts erklären. Entweder Sie helfen mir, ohne viel zu fragen, oder Sie lassen es bleiben.«

»Ich kann doch nicht ohne jede Information mit Ihnen zusammenarbeiten.«

»So, wie ich mir die Zusammenarbeit vorstelle, geht das schon.«

»So, und wie?«

»Hören Sie zu, Herr Löff, ich brauche zunächst nur Ihren Namen, der zählt in amtlichen Kreisen nun mal mehr als meiner. Das fängt gleich hier im Polizeipräsidium an. Mit Ihnen zusammen komme ich rein und kriege auf meine Fragen eine Antwort. Bis ich Ihnen erklärt habe, was ich wissen will und warum, ist der halbe Tag vergangen. Soviel Zeit haben wir leider nicht mehr.«

»Herr Kayankaya, wenn ich Ihnen aufgrund meiner Erfahrung etwas raten darf, dann...«

»Helfen oder nicht helfen?«

Er schaute mich eine Sekunde lang wütend an. Dann klappte er trotzig die Aktentasche zu.

»Also gut. Wo müssen wir zuerst hin?«

»Nochmal ins Rauschgiftdezernat und in die Kleiderkammer.«

»Dann mal los.«

Wir liefen über den Parkplatz, stiegen die Treppen zum Haupteingang hoch, durchquerten die Empfangshalle und fuhren mit dem Aufzug in den vierten Stock.

Vor Georg Hoschs Büro nahm ich Löff am Arm.

»Nicht zu Hosch. Wir müssen jemand anders finden.«

»Warum?«

»Darum!«

Löff holte tief Luft. Dann zeigte er auf die Tür gegenüber von Hoschs Büro.

»Sie gehen rein und spielen Begrüßung, oder was sonst unter Polizisten üblich ist. Ich stelle danach die Fragen.«

Löff klopfte energisch an die Tür.

»Jaaa. Immer rein in die gute Stube.«

Die freundliche Stimme gehörte einer jungen Dame im Minirock. Sie war dabei, Kaffee in den Filter zu löffeln.

Löff betrat den Raum mit der Würde und dem Selbstverständnis eines höheren Vorgesetzten. Er machte seine Sache gut. Leider hielt der Minirock nicht viel von würdevollen Vorgesetzten.

»Wen Sie auch immer sprechen wollen, alle sind weg.«

Sie knipste die Kaffeemaschine an und drehte sich um. Löff verschränkte die Arme.

»Ich bin Theobald Löff, ehemals Kriminalkommissar dieses Hauses.«

»Und?«

»Ich wünsche den diensthabenden Inspektor der Abteilung zu sprechen.«

»Herr Rolland ist dienstlich unterwegs.«

»Wann wird er zurück sein?«

»Das weiß der Herrgott.«

Löffs Vorstellung war zu Ende. Er drehte sich fragend zu mir um.

»Kayankaya mein Name. Außer wo der Kaffee steht, wissen Sie über die Abteilung hier noch was anderes?«

»Anzunehmen, ich arbeite seit zwei Jahren in dem Laden.«

»Es gibt ein Lager, wo der ganze beschlagnahmte Kram hinkommt, um irgendwann verbrannt zu werden. Wo ist das?«

»Am Flughafen ist eins, so 'ne Art Zwischenstation, und hier im Haus ist das Hauptlager. Verbrannt wird in einem Spezialofen hinten im Hof.«

»Wer hat hier im Präsidium Zugang zu dem Lager?«

»Sagen Sie mal, wollen Sie das Ding knacken?«

»Klar, ich lauf in die erste Polizei-Ranch der Stadt und erkundige mich, wie und wo ich...«

»Schon gut. Zugang hat nur eine Art Verwalter, der

aufschließt, wenn neue Ware reinkommt, und kontrolliert, ob alles seine Ordnung hat.«

»Wie heißt er?«

»Im Moment macht das Herr Sörbier. Das wechselt aber jeden Monat.«

»Leitet der auch die Verbrennung?«

»Nee, das macht immer Herr Hosch.«

»Georg Hosch?«

»Ja.«

»Herr Kayankaya, was soll das? Ich kann nicht die ganze Zeit im dunkeln neben Ihnen herumtappen.«

Wir standen im Aufzug zum Kellergeschoß. Meine Finger tasteten nach der kaputten Rippe. Morgen würde ich beginnen, sie zu kurieren. So hoffte ich.

»Geht nicht anders, Herr Löff. Heute abend wissen Sie alles. Bis dahin Geduld. Sie haben Ihre Sache doch eben fabelhaft gemacht, besser gings gar nicht.«

»Also gut, ich mache weiter. Aber bitte, tun Sie mir einen Gefallen...«

»Der wäre?«

»...eignen Sie sich ein paar Umgangsformen an. Man kann mit Leuten reden, ohne sie gleich vor den Kopf zu stoßen. Sagen Sie das nächste Mal ›Danke‹ und ›Auf Wiedersehen‹, wenn Sie die gewünschte Information erhalten haben. Schließlich fällt das auf mich zurück.«

Die Aufzugstür öffnete sich, und mir blieb die Erwiderung erspart. Wir liefen durch den neonbeleuchteten Flur bis zu einer Kioskfassade. Doch statt Stapel von Bierkästen und Lutschervorräten sah man dahinter eine riesige Halle, durch die sich hohe Eisenregale zogen. Olivgrüner Kleiderkram, Plexiglasschilde, Helme, Verkehrskellen,

Schuhe, alle möglichen Sorten Schießwerkzeug, Walkie-Talkies, sogar ein Bündel Trillerpfeifen lagen relativ geordnet auf den Regalbrettern. Alles neu und sauber.

Ich drückte auf eine silberne Klingel. Aus dem hinteren Teil der Halle brummte jemand »ein Moment«. Löff sah mich kritisch an. Er erwartete offenbar immer noch eine Bestätigung seiner Bitte.

»Ich versuche, weder zu kleckern noch unaufgefordert zu rülpsen.«

»Was gibts?«

Ein runzliges Männlein humpelte durch die Halle auf uns zu. Es musterte uns durch dicke Brillengläser. Löff räusperte sich und stützte die Hände auf die Theke.

»Ach, der Herr Kommissar! Was treibt Sie denn hierher?«

»Tja, die Katze läßt das Mausen nicht.«

»Ach, was, Sie sind wieder im Geschäft?«

»Nein. Ich betreue einen Fall. Um die in langen Jahren gewonnene Erfahrung sozusagen an Jüngere weiterzugeben. Eine Art wandelnder Ratschlag.«

Das Männlein lachte herzlich.

»Das haben Sie gut gesagt, Herr Kommissar.«

Löff trat einen Schritt beiseite und stellte mich vor.

»Hier ist der Nachwuchs, wenn ich mal so sagen darf. Herr Kayankaya ist als freier Mitarbeiter mit der Lösung eines Falles betraut.«

Die kurzsichtigen Augen glitten ungläubig an mir herunter. Wahrscheinlich überlegte er sich, wo die Polizei enden würde, wenn blutverkrustete Türken ihren Nachwuchs bilden sollten. Löffs Geschichte war ebenso unglaubhaft wie phantasielos.

»Aha. Na gut. Was führt Sie zu mir?«

Bevor Löff noch mehr Unsinn loswerden konnte, schob ich mich kurzerhand vor ihn an die Theke.

»Führen Sie eine Kartei über die Geräte, die Sie ausgeben?«

»Natürlich. Das hat bei uns alles seine Ordnung.«

»Kann auch ein Beamter seine fehlende Ausrüstung bei Ihnen ergänzen? Angenommen, er hat was verloren, oder es wurde was beim Einsatz beschädigt?«

»Mit Bestätigung seines Vorgesetzten, aber sicher. Was glauben Sie, weshalb ich hier bin?«

Er belächelte die törichten Fragen des Nachwuchses.

»Wenn ich Sie zum Beispiel fragen würde, ob in der Woche nach dem sechsundzwanzigsten April neunzehnhundertachtzig sich einer oder mehrere der Kollegen bei Ihnen einen neuen Polizeischlagstock besorgt haben, könnten Sie das beantworten?«

Ein kurzer Seitenblick bestätigte mir, Löff war baff.

»Müssen Sie einen Moment warten, bis ich den Karteikasten finde. Ist aber sonst kein Problem.«

»Wir warten gerne.«

Das Männlein humpelte weg. Löff tippte mir auf die Schulter.

»Sonst ist alles in Ordnung, Herr Kayankaya?«

»Warten Sie's ab.«

Wir standen stumm nebeneinander, bis das Männlein mit einem hellbraunen Holzkasten unterm Arm zurückkam.

»Hier haben wir neunzehnhundertachtzig, wollen mal sehen.«

Er blätterte die Kärtchen durch.

»Schlagstöcke haben Sie gesagt?«

»Ja.«

Es dauerte eine Weile, dann zog er zwei Karteikarten heraus und las vor.

»Da haben wir den achtundzwanzigsten und den neunundzwanzigsten April. Jedesmal Schlagstock im Einsatz verloren, Antrag auf Ersatz. Bestätigungen der jeweiligen Vorgesetzten lagen vor.«

Er sah auf.

»Reicht das?«

»Die Namen der Antragsteller wüßte ich gerne.«

»Wenns weiter nichts ist.«

Er hielt sich die Karteikarten noch einmal dicht vor die Brille.

»Am neunundzwanzigsten war es Michael Kuch vom Mobilen Einsatzkommando D Strich A siebzehn einundzwanzig, am achtundzwanzigsten Harry Eiler, Streifendienst, Nummer null null acht Strich sieben drei. Vorgesetzte waren im ersten Fall Hauptkommissar Norbert Rutel, im zweiten Kriminalkommissar Futt.«

Ich schaute zu Löff und sagte: »Vielen Dank und auf Wiedersehen, Sie haben uns sehr geholfen.«

Wir gingen durch die Empfangshalle hinaus auf den Parkplatz. Löff zog immer noch eine Schnute und sagte kein Wort.

»Herr Löff, holen Sie bitte das Auto. Ich bin da vorne bei der Telefonzelle, muß 'ne Adresse rauskriegen.«

Ich blätterte die dünnen, eingerissenen Seiten durch. Löff stand schon mit dem Benz vor der Kabine, als ich endlich fand, was ich suchte. Futt, Große-Nelken-Straße siebenunddreißig. Das lag in Hausen, einem Außenbezirk Frankfurts. Ich setzte mich neben Löff, und wir fuhren los. Sanft rollte das große Auto über den Asphalt.

»Hausen, Große-Nelken-Straße siebenunddreißig.«

»Was wollen wir da?«

»Ist Futt verheiratet?«

Löff bremste leicht.

»Sagen Sie bloß nicht, Sie...«

»Doch. Ist er verheiratet oder nicht?«

»Ist er.«

»Also keinen Einbruch.«

»Keinen was?!«

Die Reifen quietschten, und der Wagen blieb am Straßenrand stehen. Löff stellte den Motor ab.

»Nochmal ganz langsam. Keinen was?«

»Nur mit der Ruhe. Wir fahren jetzt zu Futts Wohnung und unterhalten uns mit seiner Frau. Ist doch nichts dabei. Sie bleiben im Auto.«

»Hab ich mich wohl verhört.«

Wir rollten wieder los. Ich kurbelte die Scheibe runter und ließ meine Hand durch den Fahrtwind gleiten.

»Kennen Sie die Glückliche?«

»Nein.«

»Mal was über sie gehört?«

»Ja.«

»Was?«

»Gerüchte.«

»Welcher Art?«

»Als Futt das Drogendezernat leitete, ging herum, seine Frau sei Alkoholikerin. Dummes Gerede.«

»Warum?«

»Weil sowas immer dummes Gerede ist, darum.«

»Ah, ja.«

Wenig später hielten wir vor dem Haus Nummer siebenunddreißig.

»Suchen Sie sich einen anderen Parkplatz, bißchen

weiter weg. Sie müssen aber den Eingang beobachten können. Ich werde spätestens in einer halben Stunde wieder hier sein. Sollte inzwischen ein Ihnen bekanntes Gesicht auftauchen, hupen Sie zweimal kurz. Das wäre jetzt alles. Bis gleich.«

Ich schmiß die Wagentür zu. Futt wohnte in einem dunkelgrün verputzten Fünfziger-Jahre-Wohnhaus. Ich klingelte. Die Tür summte, und ich stieg hinauf in den zweiten Stock. Der Name Paul Futt war in eine Messingplatte eingraviert. Die Wohnungstür stand halb offen.

»Horstilein, hier bin ich!«

Ich ging hinein. Der Flur stand voll mit alten, teuren Möbeln, die nicht zueinander paßten. An der Wand hing ein Sonnenuntergang mit Segelboot. Der Boden war mit drei oder vier Schichten Perser bedeckt.

»Hiiier, im Schlafzimmer, hi, hi.«

Ich durchquerte den Flur und betrat das Schlafzimmer. Wir starrten uns beide eine Weile fassungslos an.

Sie, weil ich nicht Horstilein war, sondern ein Türke mit angeschwollener Visage. Ich, weil vor mir eine dicke, grell geschminkte Frau lag, die ihre Schenkel weit auseinander spreizte und außer einem goldenen Glitterschal nichts am Leibe trug.

»Kayankaya mein Name. Schönen guten Tag.«

Langsam, ohne die Augen von mir zu lassen, begann sie, ihre weiße Haut mit einem Bettlaken zu bedecken. Auf dem Nachttisch stand das Gerücht. Eine halbleere Flasche Johnny Walker.

»Ich muß mit Ihnen reden. Ziehen Sie sich was an, ich geh solange raus.«

Ich griff mir die Flasche Johnny Walker, ging hinaus in den Flur und setzte mich auf ein seidenbespanntes Sofa.

Ende achtzehntes Jahrhundert war mein Tip. Ich spendierte mir einen Schluck auf Futts Kosten. Nebenan zog sich seine Frau an. Nach fünf Minuten stand sie im Türrahmen. Ihr fetter Körper schwankte, und die Augen glänzten. Sie hatte schon mächtig einen in der Krone.

»Wer sind Sie? Was machen Sie hier?«

Ich stellte die Flasche auf den Boden und erhob mich.

»Wie gesagt, Kayankaya. Ich bin hier, um Ihnen ein paar Fragen zu stellen.«

Sie hatte sich einen weißen, mit Drachen bestickten Kimono übergezogen. Der rechte Busen hing heraus.

»Wer gibt Ihnen das Recht, einfach in meine Wohnung einzudringen, hä?«

»Ich habe geklingelt, man hat mir aufgemacht.«

Sie fuchtelte mit den Händen durch die Luft.

»Na und? Ich habe einen Freund erwartet. Kann ich wissen, daß fremde Leute einfach in die Wohnung kommen? Geht doch nicht! Ich warte auf einen guten Freund, und Sie kommen einfach hier herein. Geht nicht, sowas.«

Der Alkohol ließ sie lallen.

»Sind Sie die Frau von Paul Futt?«

»Was wollen Sie damit sagen? Hat der Arsch Sie hergeschickt? Weiß er doch alles, is ihm doch egal. Bin doch 'ne Frau, oder? Der impotente, fette Sack, der bringt nichts mehr. Is doch mein Recht, nich? Hab ein Recht auf Männer. Kann ich wissen, daß er son schlaffer Schwanz ist. Hat mir in der Kirche niemand gesagt. Kann ich doch nich wissen. Is doch mein Recht...«

Sie hielt sich die Hände vors Gesicht und fing an zu schluchzen.

»Frau Futt, es ist mir schnurzegal, ob Sie sich einen Liebhaber halten. Deshalb bin ich nicht hier.«

»Fiiiicken! Sagen Sie doch ficken, Sie Arsch. Das meinen Sie doch!«

»Frau Futt, es ist mir egal, mit wem Sie ficken!«

Sie lachte hysterisch. Ich nahm ihren Arm und drückte sie aufs Sofa.

»Nehmen Sie sich zusammen! Sagen Sie mir, wo das Zimmer von Ihrem Mann ist.«

Sie hörte auf zu lachen und sah mich kumpelhaft an.

»Sind Sie von der Polizei? Für ihn oder gegen ihn?«

»Wie soll ich das verstehen?«

Sie machte schnell einen Rückzieher.

»Gar nichts sollen Sie verstehen. Ich weiß nichts, gar nichts!«

»Ich bin gegen ihn, wenn Sie so wollen.«

»Trotzdem, ich weiß nichts. Er schlägt mich tot, hat er gesagt.«

»Ihr Mann?«

»Nein, der Weihnachtsmann, hi, hi.«

»Warum sollte er Sie totschlagen?«

Ihre lackierten Finger schmiegten sich um meinen Arm, dann drückte sie den Arsch an mich und legte ihren vernebelten Kopf auf meine Schulter. Sie roch nach Whisky und Kölnisch Wasser. Keine gute Mischung.

»Ganz schön neugierig, was?«

Die Hand glitt über meinen Nabel abwärts. Ich ließ sie gleiten, leckte mit der Zunge an ihrer Ohrmuschel und flüsterte: »Der Arsch macht viel Geld mit dem Stoff, was?«

Sie kicherte.

»Bist ein ganz raffinierter..., hi, hi...«

Ich legte mich ins Zeug.

»Wenns rauskommen würde, müßtest du sagen, was du weißt.«

»Er wird mich umbringen, hi, hi.«

»Hinter Gittern kann er dich nicht umbringen.«

»Solche Schweine kommen nich hinter Gitter... laß ihn doch jetzt, is doch nich wichtig.«

Sie hatte Schwierigkeiten mit den Knöpfen.

»Gleich, sag mir nur, wo er das Zeug hat.«

»Ich hab mal was gesehen, in seinem Schrank, das is alles.«

Ich riß mich aus der Umklammerung und stand auf. Sie sah mich verdutzt an. Ich knallte ihr eine.

»Wo ist der Schrank?«

»Duuu, du wider...«

Ich knallte ihr noch eine.

»Jetzt werden wir wieder nüchtern, Verehrteste. Wo ist der Schrank?«

Eine Hand hielt die Backe, die andere zeigte auf die Tür gegenüber. Der Schrank stand in einem weiteren Schlafzimmer. Ich räumte Mäntel und Anzüge raus, bis in der linken hinteren Ecke ein Rucksack zum Vorschein kam. Ich zog ihn raus und öffnete die Schnallen. Alles mögliche Campingzeug lag obenauf. Ich kippte alles aus. Zwischen Emaillekochtöpfen, Gaskartuschen, Zelthaken und Nylonseilen purzelten auch kleine, in Plastik verpackte Päckchen auf den Boden. Ich nahm mir eins und riß die Ecke ab. Meine Zunge leckte am Plastik. Kein Zweifel. Als alles wieder eingepackt war, sah ich den zusammengefalteten Briefbogen: FUTT MÖRDER, HALT EINE MILLION UND EIN KILO BEREIT; WIR MELDEN UNS. BIS BALD! Ich steckte das Papier ein und ging hinaus auf den Flur. Futts Frau lag verrenkt im Sofa und heulte.

»...nichts, zum Kotzen, ich bin zum Kotzen...«

»Wo steht das Telefon?«

Sie sah mich an. Die schwarze Augenschminke war über das ganze Gesicht verschmiert.

»...in der Küche...«

Ich blätterte das Telefonbuch durch, fand die Nummer und wählte. Bei Hanna Hecht war besetzt. Ich mußte mich beeilen.

»Sie bleiben hier, bis ich wieder da bin, klar? Ein Kollege von mir wird gleich zu Ihnen kommen und bei Ihnen bleiben. Ist zu Ihrem eigenen Schutz. Wischen Sie sich den Dreck ausm Gesicht und bieten Sie ihm 'nen Kaffee an. Und sein Hosenlatz bleibt zu! Bis später.«

Ich rannte die Treppe hinunter, über die Straße zu Löff. Er saß im Auto und hörte Radio.

»Herr Löff, es fängt an, spannend zu werden.«

»Ach ja?«

»Oben sitzt Futts Frau in ziemlich verstörtem Zustand. Sie müssen hochgehen und bei ihr bleiben, bis ich wieder zurück bin. Passen Sie auf, sie könnte Dummheiten machen. Sollte Futt vorbeikommen, halten Sie ihn fest. Wie, ist mir egal.« Ich gab ihm meine Parabellum.

»Hier, für alle Fälle. Schauen Sie nicht wie ein Pferd. Wenn Sie immer noch nicht glauben, ich habe meine Gründe. Werfen Sie mal 'n Blick in Futts Kleiderschrank.«

»Is das alles?«

»Ja, das ist jetzt alles. Ich brauche etwa eine Stunde, sollte es länger dauern, rufe ich an. Ihren Wagen muß ich haben.«

Er drückte mir die Autoschlüssel in die Hand, schob die Parabellum in die Hosentasche und ging hinüber zu Nummer siebenunddreißig.

Ich ließ den Benz an und fuhr los. Die erste rote Ampel nahm ich mit Hundert.

3

Um die Hände frei zu haben, stellte ich den Kassettenrekorder links neben Hanna Hechts Wohnungstür auf den Flurboden. Durch das Schlüsselloch drang leises Gebrabbel. Ich klingelte. Das Gebrabbel hörte auf. Ich klingelte ein zweites Mal. Es blieb still. Beim dritten Mal reagierte jemand und kam an die Tür.

»Wer is da?«

Die Stimme kannte ich.

»Maingas, Strom- und Wasserabnahme.«

»Einen Augenblick.«

Kurzes Geflüster, dann war er wieder da. Ich drückte mich rechts neben die Tür an die Mauer. Der Schlüssel klirrte im Schloß. Langsam wurde er umgedreht. Dann ging die Tür auf, und sein Kopf schaute aus der Wohnung.

Ich schlug ihm meine rechte Handkante unter die Gürtellinie. Einen Moment lang blieb ihm die Luft weg. Ich sprang auf ihn zu und warf ihn zu Boden. Der Schlag hatte ihn nicht schlimm erwischt, und ich hatte Mühe, gegen sein Gestrampel anzukommen. Mein erster Eindruck war richtig gewesen. Er zog an den Haaren. Als er anfing, mir in den Bauch zu beißen, reichte es mir. Ich rammte ihm die Fäuste aufs Kinn. Seine Muskeln erschlafften, und er sank zurück auf den Flokati. Ich schaute zur Küchentür. Hanna Hecht betrachtete mich mit großen Augen. Ihr Gesicht war blau angeschwollen, und aus der Nase lief Blut. Ihre Bluse war rot verschmiert und bis zur Hose aufgerissen. Ich stand auf und begann den Draht zu lösen, der ihre Hände fesselte. Die Arme waren blutig zerschnitten. Danach fesselte ich ihn damit. Ich zog fest an, und der Schmerz weckte das Bürschchen.

»Ganz ruhig bleiben, ist schon vorbei.«

Ich drehte ihn auf den Rücken und betrachtete sein wehrloses Dackelgesicht. Auch Hanna Hecht hatte sich niedergekniet, was ich aber zu spät merkte. Sie zog ihm ihre Fingernägel einmal quer durchs Gesicht. Ich stieß sie weg. Doch ihm half das nicht mehr. Fünf tiefe Kerben ließen das rote Fleisch der Wangen sehen. Er schrie und wand sich vor Schmerz. Hanna Hecht lächelte, und jetzt sah ich, er hatte ihr sämtliche oberen Schneidezähne rausgeschlagen.

»Wo ist dein Freund aus der HÜHNERPFANNE?«

Sie zeigte hinter sich in die Küche.

»Lebt er noch?«

»Bißchen!«

»Kannst du irgendwelchen Alkohol mixen? Das können wir jetzt alle gebrauchen.« Sie nickte und ging. Ich zog ihn hoch und setzte ihn an die Wand.

»Tach, Herr Eiler, so sieht man sich wieder.«

Ich holte den Kassettenrekorder vom Flur und spulte das Band zurück.

»Ich werde ein paar Fragen stellen. Sie können antworten, Sie könnens auch sein lassen, dann gebe ich Fräulein Hecht freie Hand, mit Ihnen zu veranstalten, was ihr Spaß macht... klar?«

»Nein! Ich will alles sagen.«

»Schade.«

Ich drückte auf Aufnahme.

»Womit konnten Sie Vasif Ergün nach dem Unfall überreden, in Ihrem Auftrag mit Heroin zu handeln?«

Er sah mich erschrocken an.

»Aber...«

»Antworten Sie schnell, ich habe nicht soviel Band.«

Er druckste eine Weile herum, bis er sich überwand.

»Es ist eh alles egal . . . Es war Futts Idee. Ich hatte damit nichts zu tun . . . das stimmt wirklich . . .«

»Interessiert mich nicht, Sie sollen sagen, wies gewesen ist!«

». . . na ja, wir haben ihm erzählt, der Unfall sei besonders schlimm, und deshalb müsse er zurück in die Türkei, oder lange ins Gefängnis . . . irgend sowas . . . dann haben wir ihm ein Geschäft angeboten. Wir würden dafür sorgen, daß ihm nichts passiert, würden ihm auch Geld geben, um den Schaden unter der Hand zu bezahlen.«

»Zweitausend Mark?«

»Mhmm, ja soviel war das . . . also das haben wir für ihn gemacht. Dafür sollte er für uns Drogen verkaufen. Dreißig Prozent vom Gewinn haben wir ihm angeboten, und er war einverstanden.«

»Nachdem das eine Weile lief, habt ihr ihn gefragt, ob er nicht noch jemanden wüßte, der Lust hätte mitzumachen?«

»Mhmm, ja.«

»Das war dann Ahmed Hamul?«

»Ja.«

»Weshalb mußte Vasif Ergün sterben?«

»Aber nein . . . das war 'n Unfall . . . Sie glauben doch nicht . . .«, er kreischte fast.

»Mach kein Theater, Futt hat ein Geständnis abgelegt, und ich habe Zeugen für den Unfall, das beste für dich, du sagst die Wahrheit.«

Futts Geständnis schoß ihm wie ein Blitz durch den Körper.

»Der . . . der blöde Hund . . . er war es, er hat es gewollt, er hat gesagt, das muß sein, sonst würden wir alle hochgehen, das Schwein... verdammt nochmal, ich bin doch kein Mörder, ich bin keiner... Wirklich!«

Er schrie und schluchzte abwechselnd und schlug sich mit den Händen ins aufgerissene Gesicht; sein schmächtiger Körper begann wild zu zittern.

»Nehmen Sie sich gefälligst zusammen! Sie haben drei Menschen umgebracht und drei andere bestialisch gefoltert, mich eingeschlossen. Da haben Sie nicht geheult, wahrscheinlich hat es Ihnen sogar Spaß gemacht. Ich hätte Lust, Sie restlos auseinanderzunehmen, das können Sie mir glauben. Jetzt wird geantwortet!«

»...er wollte aussteigen, wollte das Geschäft alleine machen...«

»Und da haben Sie ihn mit dem Wagen am Betonpfeiler zerquetscht?«

»Ja.«

»Woher wußten Sie, daß die Bauerntochter alles gesehen hat?«

»...hab den Unfall aufgenommen. Die Leute aus dem Dorf kamen an... schauten, was passiert war... sie war auch dabei und hat erzählt, hat sich wichtiggemacht, hat ihr aber niemand geglaubt...«

»Am nächsten Tag haben Sie ihr den Knüppel über den Kopf gehauen. Wo ist der?«

»...hab ich weggeschmissen...«

»Wohin?«

»...weiß ich nicht mehr...«

Ich knallte ihm meinen Handrücken auf die zerfurchte Backe. Er schrie.

»...irgendwo, im Wald... hinterm Dorf...«

»Georg Hosch hat den Stoff bei der allmonatlichen Verbrennung besorgt?«

»Mhmm...«

»Mit ihm waren Sie gestern bei mir und haben Gas verschossen?«

»Mhmm...«

»Der Stoff wurde bei Futt gelagert?«

»Mhmm, ja. Er hatte auch die Idee zu allem. Er hat uns fast erpreßt, wirklich, er hat...«

»Interessiert mich nicht! Warum mußte Ahmed Hamul sterben?«

»Damit hab ich nichts zu tun, davon weiß ich nichts... Sie können mir nicht alles anhängen... das war ich nicht... das war überhaupt keiner von uns... das würde ich wissen... das können Sie nicht machen...!«

Ich schlug ihm immer wieder ins Gesicht, aber alles, was er rausbrachte, war »nein«.

»Was Sie an dem Abend gemacht haben, werden wir auch so herausbekommen. Wo ist Hosch jetzt?«

»Dienst.«

Ich stellte das Band ab und ging in die Küche. Hanna Hecht lehnte mit einigermaßen zufriedenem Gesicht im Stuhl; sie hatte gerade ihren Druck beendet. Der Kellner lag stöhnend unter der Spüle. Er hatte in den letzten Tagen eine Menge abbekommen. Ich packte ihn bei den Schultern, um ihn aufzusetzen. Er schrie wie am Spieß. Harry Eiler mußte ihm beide Arme gebrochen haben. Ich ließ ihn liegen, alles andere hätte ihn vollends umgebracht. Die Küche glich einem Schlachtfeld. Zerbrochenes Mobiliar und Geschirr waren mit Blut bespritzt, der Mülleimer auf den Boden ausgeleert worden, und sämtliche Plakate lagen zerfetzt darüber. Ich holte die Flasche Wodka aus dem Kühlschrank und nahm einen tiefen Schluck. Der Kellner keuchte laut.

»'n Schluck?«

Mit Mühe klappten seine Augenlider auf und nieder. Ich flößte ihm den Wodka auf einem Teelöffel ein. Das meiste ging daneben. Dann ging ich zurück zu Harry Eiler und zum Telefon.

Ich wählte den ärztlichen Notruf und bestellte einen Wagen und wandte mich dann zu dem Haufen Eiler.

»Sie rufen jetzt Hosch an und verabreden sich mit ihm in einer halben Stunde bei Futts Wohnung.«

Er schüttelte den Kopf. Ich knallte ihm eine. Er nickte.

»Nummer?«

Er sagte sie. Ich wählte und hielt ihm den Hörer an Ohr und Mund.

»Ja, Georg? Hier ist Harry... ja, wir müssen uns in einer halben Stunde bei Paul treffen... doch, ist dringend... was? ...kann ich dir am Telefon nicht erklären, ist wichtig, wirklich... ja? Dann bis gleich.«

Ich legte auf. Harry Eiler sah gequält auf seine gefesselten Hände.

»Jetzt das gleiche mit Futt.«

»Nein!... also gut!«

»Keinen Rückzieher! Er muß kommen. Von mir aus sagen Sie ihm, hier sei was schiefgegangen.«

»Paul?... Ja, Harry... es ist dringend, wirklich... es ist was falsch gelaufen... wir müssen uns, so schnell es geht, bei dir treffen... ja... doch, glaub mir, es ist wichtig...«

Seine Augen flehten mich an. Ich schüttelte den Kopf.

»Paul, bitte, es dauert auch nicht lange... ich will dich nicht verarschen, nein!... Nur kurz, in Ordnung... in einer halben Stunde?... Ja? Gut, tschüß.«

Ich nahm das Telefon und wählte Futts Privatnummer.

»Katrin Futt.«

»Hallo, Frau Futt. Lassen Sie mich mal mit Ihrem Aufseher sprechen.«

Löff kam an den Apparat.

»Hier ist Kayankaya... ja, dauert nicht mehr lange, ich komm gleich... ist alles klar. Hören Sie, ich brauch 'nen Staatsanwalt... ja! Können Sie einen auftreiben?«

Harry Eiler fing an zu schreien. Ich ging mit dem Apparat ins Schlafzimmer.

»Wer das ist? Sie werden es kaum glauben, das ist Harry Eiler... Erklär ich Ihnen dann. Klappt das mit dem Staatsanwalt? Sie müssen doch irgend jemand aus dem Fach so gut kennen... ist mein vollkommener Ernst, ich habe drei Heroinhändler zu bieten, einer davon ist mehrfacher Mörder. Ist das kein Angebot?!... Jaa, ich habe Beweise, sind durch Ihr Tonband schon alle überführt... In Ordnung, Herr Löff. Sie brauchen mich nie mehr anzuschauen, wenn es nicht stimmt... Ich will den Staatsanwalt! Jetzt! Hab keine Lust, die Geschichte zweimal zu erzählen... Gut, bin in zehn Minuten da!«

4

Im gleichen Augenblick, als ich mit Harry Eiler aus dem Haus trat, hielt der Notarztwagen, und zwei Pfleger stürzten heraus. Einen hielt ich am Arm fest.

»Erster Stock rechts, das Mädchen ist voll mit Heroin, der Typ mit Wodka.«

Er sah mich entgeistert an, nickte dann und rannte weiter.

Ich stopfte Harry Eiler in den Beifahrersitz, setzte mich hinters Steuer und startete.

Zehn Minuten später saßen wir zu fünft in Futts Wohnzimmer. Katrin Futt, Theobald Löff, Harry Eiler, ich und Horst ›Horstilein‹ Schramm. Ich bedeutete dem Liebhaber von Katrin Futt zu verschwinden.

»Ist mir egal. Ich bleibe hier. Lasse Katrin doch jetzt nicht im Stich.«

»Herr Schramm, hier werden gleich Sachen geschehen, die Sie nicht das geringste angehen.«

»Ich lasse Katrin jetzt nicht alleine! Wer sind Sie überhaupt? Sie können mir gar nichts sagen.«

»Ich habe keine Zeit, mit Ihnen zu diskutieren. Entweder Sie gehen freiwillig, oder ich bringe Sie raus! Mein Freund hier kann Ihnen bestätigen, ich bin nicht zimperlich. Also, spielen Sie nicht den Ritter, hauen Sie ab!«

Er betrachtete angeekelt Harry Eilers Visage.

»Sie sind ein brutaler Typ, ja das sind Sie! Das können Sie einer Frau doch nicht zumuten!«

»Und Sie glauben, wenn Sie hier rumquengeln, helfen Sie ihr?«

»Sie braucht mich!«

Katrin Futt war inzwischen einigermaßen nüchtern.

»Horst, ich glaube, es ist besser, wenn du jetzt gehst. Wir sehen uns heute abend.«

»Katrin! Das kannst du nicht machen.«

Ich nahm ihn bei der Schulter.

»Und wie sie das kann. Bei drei sind Sie draußen. Eins...«

Er schüttelte meine Hand ab, sah grimmig in die Runde und verließ die Wohnung.

»Wann kommt der Staatsanwalt?«

»So schnell er kann.«

Wir saßen uns schweigend gegenüber. Nur Harry Eilers

Gequengel durchbrach von Zeit zu Zeit die angespannte Stille. Er würde nie wieder ein anständiges Gesicht haben. Warum ich ihn nicht vor dieser Hexe bewahrt hätte... Etwa zehn Minuten sagte keiner ein Wort. Löff machte den Eindruck, als würde er schon bereuen, den Staatsanwalt gebeten zu haben. Katrin Futt hatte die Augen geschlossen und döste ihren Rausch aus. Harry Eiler beschränkte sich nach und nach darauf, still zu leiden und seine Drahtfesseln anzustarren. Ich suchte im Kopf angestrengt nach einer bestimmten Melodie von Louis Armstrong. Dann klingelte es.

Alle schauten verstört auf, als hätte niemand mehr mit irgendeinem Ereignis gerechnet. Ich entsicherte die Parabellum, bedeutete den anderen, sich ruhig zu verhalten, und ging zur Tür.

Nach dem zweiten Klingeln riß ich die Tür auf. Noch ehe Georg Hosch irgendwas kapiert hatte, lag der schwarze Lauf der Kanone auf seiner Brust. Ich nahm ihn beim Jackett und zog ihn in die Wohnung.

»Hab gesagt, wir sehen uns wieder.«

»Bitteschön, was soll das?«

»Abwarten. Wo haben Sie heute Ihre Gasmaske? Stand Ihnen gut.«

Verächtlich spitzte er den Mund: »Das wird Folgen haben.«

»Und ob!«

Ich schob ihn vor mir her ins Wohnzimmer.

»Bald sind wir vollständig.«

Georg Hosch blieb ruhig. Nur seine Stirn lief rosa an.

»Setzen Sie sich. Leider müssen wir uns noch gedulden, bis Kommissar Futt und der Staatsanwalt anwesend sind.«

»Der Staatsanwalt...?«

»Geht alles schneller, als man denkt, Herr Hosch.«

Er begnügte sich mit einem geringschätzigen Augenaufschlag.

Wenig später klingelte es erneut. Das gleiche Spiel. Ich riß die Tür auf und stieß meine Kanone in eine Brust.

Diesmal war es der Staatsanwalt. Er schaute nicht weniger entgeistert als Hosch. Ich zog meine Hand zurück und entschuldigte mich.

»Schon gut, immerhin bin ich hier richtig. Ist doch die Wohnung von Herrn Futt?«

»Ist es.«

»Und wo ist er?«

»Noch nicht da. Warum?«

»Weil ich es für unverschämt halte, mich um diese Tageszeit und bei solchen Temperaturen durch die Stadt zu hetzen. Er kann doch mit seinen Verbrechern zu mir kommen, oder etwa nicht? Seit wann fehlen der Polizei Mittel und Zeit, ihre Gefangenen aufs Gericht zu befördern? Nur weil ich Herrn Löff kenne und schätze, mache ich diese Ausnahme.«

»Herr Futt muß jeden Augenblick eintreffen.«

»Im übrigen, wer sind Sie?«

»Kemal Kayankaya, Privatdetektiv. Ich habe Sie um diese Zeit durch die Stadt gehetzt, weil ich nicht die Polizei bin und nicht die Mittel habe, Gefangene aufs Gericht zu befördern. Herr Futt wird hier nicht als Kommissar auftreten, sondern als Drogenhändler. Sobald er hier ist, fange ich an zu erzählen. Wenn Ihnen einleuchtet, was ich sage, können Sie danach die Haftbefehle ausstellen.«

»Sie sind schnell, junger Mann.«

»Ach ja, es wird Ihnen kaum gefallen; die drei, um die es geht, sind Polizisten.«

Er fuhr sich durch die kurzen grauen Haare.

»Aha. Mhm. Macht die Sache nicht einfacher.«

Er taxierte mich streng.

»Na gut, wann fangen wir an?«

»Wir warten auf Herrn Futt.«

»Der Rest ist anwesend?«

»Kommen Sie.«

Mit Ankunft des Staatsanwaltes hatte die Stimmung im Raum an Spannung gewonnen. Georg Hosch verlor mehr und mehr seine Fassung und begann, Harry Eiler wütende Blicke zuzuwerfen. Eiler gab sich inzwischen ganz wimmerndem Selbstmitleid hin. Katrin Futt war sich langsam der Situation bewußt geworden und rutschte unruhig auf dem Stuhl hin und her.

Löff und der Staatsanwalt begrüßten sich wie zwei Leute, die im selben Kegelclub sind. Dann setzten sie sich still nebeneinander, verschränkten die Arme und sahen von Zeit zu Zeit ungeduldig zu mir herüber.

»Frau Futt, darf ich den Herren was zu trinken anbieten?«

»Ja, ja, steht alles in der Küche. Gläser sind im Schrank.«

»Herr Hosch, würden Sie mir bitte behilflich sein?«

Als wir nebeneinander in der Küche standen, schloß ich leise die Tür und lächelte in Hoschs kalte Augen. Er hielt mich für einen Dummkopf, nach seinem Gesichtsausdruck zu schließen.

»Ich mache Ihnen ein Angebot, Hosch.«

»Was können Sie mir für Angebote machen?«

»Ich könnte Sie, zum Beispiel, aus dem Gasüberfall raushalten. Die Anklage wegen schwerer Körperverletzung bliebe Ihnen erspart.«

»Ich kann leider nicht folgen.«

»Ich könnte es so arrangieren, daß Sie bei sämtlichen Mordanschlägen nicht erwähnt würden. Würde Ihnen doch gefallen, von nichts gewußt zu haben, oder? Georg Hosch, ahnungslos hineingeschlittert in die verbrecherischen Machenschaften eines Vorgesetzten, der ihn unter Druck oder mit falschen Erklärungen zum Drogendiebstahl angehalten hat. Und die Anklage wegen Mitwisserschaft bei drei Morden wäre vom Tisch. Übrigbleiben würde der im Grunde genommen ehrliche Mensch Georg Hosch, dessen Einfältigkeit von anderen für dunkle Geschäfte ausgenutzt wurde. Der Tip schmeckt Ihnen nicht, ich weiß, aber er erspart Ihnen einige Jahre hinter Gittern.«

»Muß ich mir noch mehr von diesem Blödsinn anhören?«

»Ist kein Blödsinn, das wissen Sie. Mein Angebot lautet folgendermaßen: Ich erzähle die Geschichte ab Auftritt Vasif Ergün, Sie spielen den Trottel und tun so, als würden Sie das heute zum erstenmal hören. Denken Sie sich was aus. Vielleicht dachten Sie, Sie hätten für den Geheimdienst gearbeitet, oder so. Ich lasse den Film ablaufen. Sie regen sich mehr und mehr auf, machen den Entsetzten, sind fassungslos und verzweifelt. Von mir aus fangen Sie an, Futt zu beschimpfen. Das steigern Sie, bis die Rede auf Ahmed Hamul kommt. Da geht Ihnen ein Licht auf. Was ich will, ist: Bei der Schilderung des dritten Mordes finden Sie für sich den Beweis, die Geschichte ist wahr, und man hat Sie tatsächlich drei Jahre lang übers Ohr gehauen. Danach geraten Sie völlig aus dem Häuschen. Bis hierhin haben Sie nämlich immer noch die Hirngespinste eines Privatdetektivs vermutet, doch mit Ahmed Hamuls Tod wird Ihnen klar, ich habe recht. Verstanden?«

Er schüttelte leicht den Kopf.

»Überlegen Sie sich's. Ein bißchen Theater, weiter nichts. Mitwisserschaft bei Mord und schwere Körperverletzung ist 'ne unangenehme Sache. Skrupel wegen Eiler brauchen wir nicht zu haben. Ob er den Schweinkram alleine gemacht hat oder manchmal zu zweit, hilft ihm vor Gericht auch nicht mehr. Er geht als Erster von euch drauf, so oder so.«

Ein kurzes Grinsen glitt über sein Gesicht, als amüsierte es ihn, ich könnte glauben, er würde wegen Harry Eiler Skrupel haben.

»Müssen sich bald entscheiden. Jetzt servieren wir die Getränke.«

Ich nahm Whisky, Mineralwasser, Orangensaft und Eis. Hosch balancierte ein Tablett Gläser.

Löff und der Staatsanwalt schnappten sich den Orangensaft. Der Rest trank Whisky-Soda.

Wenig später hörten wir ein Schlüsselbund klirren. Alle, bis auf Katrin Futt, hielten den Atem an.

»Paul!«

Ehe ich sie fassen konnte, war sie aufgesprungen und zur Tür gerannt.

»Paul, ich hab nichts gesagt! Glaub mir! Bitte, glaub mir, ich habe nichts verraten, Paul...«

Futt war dabei, sich aus ihrer Umklammerung zu lösen, als er mich am Ende vom Flur erblickte. Er hielt einen Augenblick inne. Dann stieß er seine Frau zu Boden. Sie lag zusammengekrümmt an der Wand und heulte.

Ich winkte ihm mit der Parabellum zu.

Futt steckte den Schlüssel ein und zog sich eine Zigarre aus der Hemdtasche.

»Kommen Sie her, es warten schon alle.«

Er biß ein Ende der Zigarre ab, spuckte es auf den Perser und bewegte sich mit breiten, langsamen Schritten auf mich zu.

»Wer wartet auf mich?«

»Bunte Runde.«

Er trat ins Wohnzimmer, und man sah den Schreck in seinen Augen. Alle nickten ihm leicht zu. Hoschs fragendes Gesicht signalisierte, er wollte den Trottel spielen.

»Setzen Sie sich, Herr Futt. Wir können anfangen.«

»Anfangen, womit?«

»Abwarten.«

Während ich Löffs Kassettenrekorder auspackte und installierte, begann ich meinen Vortrag.

»Am neunzehnten Februar neunzehnhundertneunundsiebzig verursachte Vasif Ergün – bis zu seinem Tod Gastarbeiter dieses Landes – einen Unfall; er fuhr in das Auto von Albert Schönbaum. Er hatte die Vorfahrt nicht beachtet...«

»Tschuldigung, was soll das?«

»Das wissen Sie genau, Herr Futt. Nehmen Sie sich zusammen. Es ist aus. So schlimm wird es für Sie nicht werden, Sie sind Kripokommissar.«

Ich fuhr fort. Erzählte von dem Vertrag, den Vasif Ergün mit Futt und Eiler geschlossen hatte, diktierte dem Staatsanwalt die Adresse von Albert Schönbaum, wies ihn auf vorhandene Akten hin, die meine Geschichte bewiesen, kam dann auf Ahmed Hamuls Einstieg ins Geschäft zu sprechen, gab die Namen von Hanna Hecht samt Freund und Mutter Ergün an, beschrieb den Mord an Vasif Ergün und der Bauerntochter, die Tatwaffe, den Polizeiknüppel, führte als Zeugen Erwin Schöller, Doktor Langner und die Bewohner am Rande Kronbergs auf und endete schließlich kurz vor Ahmed Hamuls Ermordung. Hosch machte seine Sache wunderbar. Futt und Eiler warfen ihm abwechselnd verstörte Blicke zu. Hosch stöhnte, platzte immer wieder mit einem fassungslosen »nein« heraus, raufte sich die Haare, zog am ganzen Leib zitternd an der Zigarette und übertraf, in bezug auf die Darstellung eines Zusammenbruchs, Eiler bei weitem. Als er sich bei meinem Bericht über die verübten Morde für die ersten Tränen vorbereitete, wurde es Futt zuviel.

»Georg! Es ist genug!«

Mit Bedacht hatte ich den Namen Georg Hoschs bisher nicht erwähnt. Dem Staatsanwalt würde er noch früh genug auffallen. Bisher war dieser eifrig mit Notizblock und Stift beschäftigt.

»Um letzte Zweifel auszuräumen, werde ich jetzt ein Band abspielen, auf dem mir Herr Eiler einige Fragen bereitwillig beantwortet hat.«

Eiler wollte gegen die Formulierung protestieren und deutete auf sein zerkratztes Gesicht. Aber Futts Lächeln zeigte ihm, er könnte nichts mehr gewinnen, und er ließ es bleiben.

Das Band lief, und der Fall war so gut wie erledigt. Löff und ich nickten uns zu. Kurz bevor der Name Hosch erwähnt wurde, hielt ich das Band an.

»Bis hier wäre damit alles klar. Bleibt der Mord an Ahmed Hamul.«

»Einen Augenblick, Herr Kayankaya. Was Sie vorgetragen haben, klingt plausibel. Was ich nicht verstehe, ist, warum hier drei Leute als Verdächtige sitzen. In meinen Notizen tauchen bisher nur die Namen Futt und Eiler auf. Dürfte ich fragen, welche Rolle Georg Hosch in der Geschichte spielt?«

»Er hat das Heroin aus dem Drogenlager des Polizeipräsidiums entwendet. Der Auftrag, den Kram jeden Monat zu verbrennen, gab ihm dazu die Möglichkeit. Aber fragen Sie ihn doch am besten selber nach seiner Rolle.«

Der Staatsanwalt nickte Hosch zu.

»Wissen Sie, Herr Staatsanwalt, Sie können es sich vielleicht nicht vorstellen, aber ich bin fassungslos. Ich weiß nicht mehr, was ich denken soll. Unglaublich das alles... ich höre mit Entsetzen, in welche Sache ich da hineingeraten bin... schrecklich...«

»Drücken Sie sich ein bißchen deutlicher aus.«

»Aber ich wußte ja von nichts...«

»Hör auf, Georg! Ist ja widerlich! Nimm dich zusammen!«

Futt schlug auf die Tischplatte. Er sah ein, er hatte verloren, und wollte die Sache schnell zu einem Ende bringen.

»Ruhe! Herr Hosch, erzählen Sie!«

Mein Vorschlag mit dem Geheimdienst hatte ihm gefallen. Er beschrieb, wie er vor vier Jahren von Futt ins Drogendezernat geholt worden war. Der habe ihn bald in seine Verbindungen zum MAD eingeweiht und erklärt, Drogen würden in der Welt der Geheimdienste eine erhebliche Rolle spielen. Mit Rücksicht auf den Ruf des MAD dürfe das aber nicht öffentlich werden. Dann, erinnerte sich Hosch, habe ihm Futt die Position des Drogenverbrenners vermittelt, damit er ebenfalls dem Geheimdienst dienen könne. All die Jahre habe er, Georg Hosch, mit gutem Gewissen und im Glauben, dem Staat zu nützen, Heroin entwendet. Nachdem Herr Futt zur Kriminalpolizei gewechselt sei, habe ihn der Lieferauftrag für Stoff schon ein wenig gewundert, aber schließlich sei es der Auftrag eines Vorgesetzten gewesen, und außerdem wisse man beim Geheimdienst ja nie... da sei eben alles möglich. In der Zeitung habe er doch über den CIA ähnliche Geschichten gelesen.

»... vor kurzem allerdings hat mir Herr Futt mitgeteilt, die Lieferungen könnten für eine Weile eingestellt werden, der Bedarf sei bis auf weiteres gedeckt. Das konnte ich mir dann überhaupt nicht mehr erklären...«

Hosch hielt sich an unsere Vereinbarungen. Er kam mir mehr entgegen, als ich gehofft hatte.

Allerdings war nicht zu verhindern, daß Futt lauthals loslachte.

»Schlitzohr, so ein Schauspiel hätte ich dir nicht zugetraut!«

Der Staatsanwalt schaute aufgescheucht von einem zum anderen und schließlich zu mir. Er verlor den Überblick.

»Hören Sie auf zu lachen, Futt! Wir klären jetzt den Mordfall Hamul, danach werden Sie noch genug Zeit zum Lachen haben.«

Futt begnügte sich damit, über alles weitere zu grinsen.

»Ahmed Hamul wurde letzten Freitag, den fünften achten, abends gegen sechs Uhr in einem Hinterhof in der Bahnhofsgegend ermordet aufgefunden. Erwähnte Hanna Hecht hat ausgesagt, Ahmed Hamul wollte aus dem Geschäft aussteigen. Beweis dafür ist ein anbezahltes Haus in Norddeutschland, wo er mit seiner Familie hätte hinziehen können, um der Verfolgung seiner Geschäftspartner zu entgehen. Leider hat er das nicht mehr geschafft.«

Georg Hosch griff sich pathetisch an die Stirn.

»Jetzt verstehe ich! Natürlich, ist doch ganz klar.

Ahmed Hamul sollte umgebracht werden! Dann gab es keinen Verkäufer mehr für meine Heroinlieferungen!«

Ich hatte mich schon die ganze Zeit langsam in Richtung Harry Eiler bewegt. Als er jetzt mit einem Schrei aufsprang und sich auf Hosch stürzen wollte, schlug ich ihn für eine Weile k. o.

Der Staatsanwalt schnappte nach Luft und erhob sich von seinem Stuhl.

»Tut mir leid, das mußte sein. Setzen Sie sich wieder, es ist schon vorbei.«

»...ich bin solche Umgangsformen nicht gewohnt, wenn Sie erlauben.«

»Ich normalerweise auch nicht. Haben Sie alles aufgeschrieben? Den letzten Beweis werden Sie erhalten, wenn Sie nachprüfen, was Harry Eiler am fünften achten abends um sechs Uhr getrieben hat. Sonst wäre der Fall, glaube ich, soweit klar.«

»Sie haben recht. Der Haftbefehl ist sofort auszufertigen.«

»Schwere Körperverletzung in drei Fällen können Sie auch noch in die Anklage mit hineinnehmen.«

Ich gab ihm Hanna Hechts Erpresserbrief. Er las ihn verwundert vor.

»›Futt, Mörder, halt eine Million und ein Kilo bereit. Wir melden uns. Bis bald!‹ Was soll das?«

»Hanna Hecht, die Freundin von Ahmed Hamul, wußte, mit wem Ahmed die Drogengeschäfte machte. Nachdem er umgebracht worden war, hatte sie dieselben Leute als Mörder im Auge wie wir jetzt und wollte kassieren.«

»Und wieso schwere Körperverletzung?«

»Ich habe den Zettel hier vorhin in dieser Wohnung

gefunden und bin sofort zu Hanna Hecht gefahren. Dort war Herr Eiler gerade dabei, saubere Arbeit zu leisten. Sie können die beiden im Krankenhaus besuchen.«

»Muß ich sogar, sind wichtige Zeugen.«

»Der dritte Fall bin ich. Mein Gesicht ist sonst ansehnlicher, das dürfen Sie mir glauben.«

»Ah, ja?«

»Futt hat es verstanden, den Mordfall Hamul an sich zu ziehen, um ihn dann einfach liegen zu lassen; aber er konnte nicht verhindern, daß die Witwe des Toten mich als Privatdetektiv engagierte. Zunächst habe ich einen Drohbrief erhalten, der mich aufforderte, den Auftrag zurückzugeben, und noch am gleichen Abend entging ich direkt vor der Haustür nur knapp einem Fiat. Gestern schließlich besuchte mich ein maskiertes Ungetüm mit Gaspistole, räucherte mein Büro aus und trat mir das Gesicht zu Brei. Machen Sie daraus, was Sie wollen.«

Hosch dankte mir die Einzahl mit einem kurzen Blick.

»Kann ich meinen Anwalt anrufen?«

»Sicher, Herr Futt.«

Wir sahen uns lächelnd an. Futt wollte sich nicht geschlagen geben, schon gar nicht von einem Türken. Ich zündete mir eine Zigarette an und deutete mit dem Daumen hinter mich.

»Bevor Sie Ihren Anwalt anrufen, gehen wir mit dem Herrn Staatsanwalt ins Schlafzimmer, und Sie führen uns Ihre Campingausrüstung vor.«

»Ich hätte mich doch früher um Ihre Lizenz kümmern sollen.«

»Und Sie hätten nicht so gefährliche Geschäfte machen sollen.«

Der Staatsanwalt tippte mir auf die Schulter.

»Bitte, warum müssen wir uns eine Campingausrüstung anschauen?«

»Kann nie schaden.«

Wir gingen nach nebenan, und Futt leerte den Rucksack aus. Die kleinen, in Plastik verschweißten Heroinpäckchen fielen dem Staatsanwalt vor die Füße. Er verstand sofort und nahm sie als Beweisstücke an sich.

»Kann ich telefonieren?«

Diesmal lächelte nur ich.

»Klar, Herr Futt, aber rufen Sie vorher bitte im Präsidium an, man soll einen Mannschaftswagen zur Festnahme mehrerer Drogenhändler vorbeischicken! Sie wissen schon, wer dafür zuständig ist.«

Nachdem Futt gegangen war, drückte mir der Staatsanwalt die Hand.

»Gute Arbeit.«

»Danke. Tja, jetzt sind Sie dran.«

»Können Sie sich drauf verlassen.«

Bis die Polizei kam, verbrachten wir die Zeit damit, Hosch vor dem wieder erwachten Harry Eiler zu schützen und Frau Futt aus ihrem Zimmer zu locken. Sie hatte sich eingeschlossen.

Futt zog nachdenklich an seiner Zigarre. Ich mixte mir einen Whisky und setzte mich neben ihn.

»Haben Sie dem Hosch das Theater vorgeschlagen?«

Er sah mich nicht an.

»Mhmm.«

»Jetzt kommt er damit durch, aber vor Gericht werd ich auspacken.«

»Ich weiß.«

»Daß der so dämlich ist und sich von Ihnen was aufschwatzen läßt. Das hätte ich nicht von ihm gedacht.«

»War in Panik. Kann mir übrigens nur recht sein, wenn Sie sich vor Gericht gegenseitig zerfleischen... Warum haben Sie mich nicht gleich umgebracht?«

»Gute Frage. Aber die Verbindung zu Ahmed Hamul wäre zu offensichtlich gewesen.«

»Schon übel, wenn man einen Mord vertuschen muß, mit dem man nichts zu tun hat.«

»Mhmm.«

Es klingelte, und die Polizisten kamen wie eine Horde Wilder in die Wohnung gestolpert. Nachdem der Staatsanwalt ihnen erklärt hatte, was Sache war, stürzten sie in eine leichte Identitätskrise. Den Herrn Kriminalkommissar Futt als Heroinhändler und den Kollegen Harry als Mörder zu verhaften, fiel ihnen schwer. Die Kameraden könne man doch nicht einfach einsperren, da liege bestimmt ein Irrtum vor. Schließlich mußte Futt selbst eine Erklärung abgeben und die Festnahme verfügen. Mit Bemerkungen, man hätte doch lieber den Türken verhaften sollen, verließ die Mannschaft samt Staatsanwalt und Verhafteten die Wohnung und machte sich auf den Weg ins Untersuchungsgefängnis.

Zurück blieben Löff, Katrin Futt und ich.

Wir holten die Gattin des Kommissars, setzten sie vor den Fernseher, stellten die Flasche Whisky daneben und verabschiedeten uns.

5

Löff und ich saßen jeder vor seinem vierten Bier. Es war kurz vor sechs. Die Feierabendkundschaft begann, den Tresen zu besetzen. »Ein Klarer, ein Bier« war die allgemeine Begrüßung. Je mehr Gläser über die Theke geschoben wurden, desto vertrauter wurde man untereinander. Die ›Soni‹ war Bedienung und hatte einen großen Arsch. Es machte ihr Mühe, den Männerhänden auszuweichen, und meistens versuchte sie es gar nicht. Der Arsch war Teil ihrer Arbeit. Löff hatte schon schwere Schatten über den Augen, und ich bekam Angst, ich müsse ihn nachhause fahren.

»Herr Kayankaya, ssaben Ssie gut gemacht, aber trossdem...«

»...trotzdem kann ein guter Anwalt die Anklage wegen Mord an Ahmed Hamul zu Fall bringen, da keine eindeutigen Beweise vorliegen, nicht wahr?«

Er hatte mir das schon fünf oder sechsmal erzählt.

»Genau... owwoll alls klar ist, bei Gricht zähln nur Beweise... dassis so.«

»Erst mal abwarten, ob Harry Eiler ein Alibi für den fünften achten zusammenbringen kann. Man wird ihn sowieso zum Sündenbock für alles machen. Diese Chance lassen sich Futt und Hosch nicht entgehen.«

»Das 's wahr.«

Das Blut pochte um meine angeknackste Rippe. Ich begann, mir die nächsten drei Tage auszumalen. Ein frisch bezogenes Bett, ein Haufen Reise- und Ferienprospekte für den Vormittag, verschiedene Fernsehzeitschriften für den Nachmittag und abendlange Spielfilme und keine Rate- oder Wettshows von Deppen, mit Deppen, für Deppen! Nachrichten und anschließend Bogart!

Ich rüttelte Löff an der Schulter. Sein Blick war starr auf Sonis Hinterteil gerichtet.

»Herr Löff, ich mach mich auf den Weg, muß noch zur Familie Ergün, berichten, und dann will ich ins Bett.«

»Mhmm... ich fahr auch ma nahause... habscho 'n kleinen in der Krone...«

»Vielen Dank nochmal. Ohne Sie hätte ich das nicht so geschafft. Ich werde die nächsten Tage bei Ihnen draußen vorbeikommen.«

»Machn Se das, meine Frau freut sich beschtimmt.«

Ich winkte Soni, und sie kam mit der Rechnung. Ich zahlte. Löff zwinkerte. Dann gingen wir.

Es war inzwischen halb zehn geworden. Ich hatte Löff zu seinem Benz gebracht, war in mein Büro gegangen, um den Tausendmarkschein zu holen, danach zu mir, hatte dort geduscht und gegessen.

Jetzt nahm ich das Wechselgeld von Madame Obelix und drei Tafeln Schokolade für die Kinder Ilter Hamuls und wünschte einen schönen Abend.

»Gleischfalls.«

Die Sonne war untergegangen, und außer ein paar roten Wolken war der Himmel blau und leer. Weit oben flogen schwarze Vögel umher. Ich war müde.

Ilter Hamul öffnete mir die Tür. Sie trug einen dunkelgrünen Satin-Morgenrock.

»Guten Abend. Ich schaue noch so spät herein, um Ihnen mitzuteilen, der Fall ist erledigt. Der Mörder gefunden und hinter Gittern.«

Ihr Gesicht hellte sich fast zu einem Lächeln auf. Sie bat mich herein und fragte, was ich zu trinken wünsche.

»Einen Kaffee würde ich nicht ablehnen.«

Sie führte mich in das große, bunte Wohnzimmer, drückte mich in einen Sessel und verschwand. Zehn Minuten später stand eine Tasse guter, starker türkischer Kaffee vor mir.

»Die Schokolade ist für Ihre Kinder.«

Sie bedankte sich überschwenglich und bat mich zu erzählen. Zum zweiten Mal an diesem Tag ließ ich die ganze Geschichte ablaufen. Hanna Hecht konnte ich ihr nicht ersparen.

Sie hörte still und gespannt zu. Manchmal schüttelte sie leicht den Kopf. Als ich geendet hatte, war es im Wohnzimmer stockfinster. Durch das Fenster sah man den Mond aufgehen. Eine Weile saßen wir uns stumm gegenüber, dann stand Ilter Hamul auf und knipste das Licht an. Tränen hingen in ihrem Gesicht.

»Wie soll ich Ihnen danken?«

»Wechseln Sie mir den Schein. Ich bekomme drei Tagessätze, sind sechshundert Mark. Das ist alles.«

Sie holte das Geld und gab es mir. Dabei drückte sie fest meine Hand.

»Ist Ihr Bruder da?«

»Er ist in seinem Zimmer. Er will morgen in die Türkei fahren und packt gerade.«

»Ich möchte ihn gerne sprechen.«

»Kommen Sie.«

Sie nahm meinen Arm, und wir gingen auf eine angelehnte Tür zu. Durch den schmalen Spalt schien Licht in den Flur. Ilter Hamul ließ mich dort stehen. Ich klopfte leise an und betrat, ohne eine Antwort abzuwarten, das Zimmer. Yilmaz Ergün stand über einen halb gepackten Koffer gebeugt. Über die Schulter schaute er mich an. In seinem Zimmer befanden sich ein ungemachtes Bett, ein offener Kleiderschrank, zwei Stühle und ein Nachttisch mit Radiowecker. Ein Kalender der Stadt Heidelberg schmückte den sonst kahlen Raum.

Mit drei zusammengelegten Hemden in der Hand drehte er sich um.

»Darf ich rauchen?«

Er nickte unwillig und ließ die Hemden in den Koffer fallen.

»Packen Sie ruhig weiter, ich will Sie nicht davon abhalten. Allerdings kann ich Ihnen versichern, Sie brauchen nicht zu verreisen.«

Ich steckte mir die Zigarette an und zog einen Stuhl heran. Yilmaz Ergün setzte sich aufs Bett.

»Wollen Sie?«

»Danke, ich rauche nicht.«

Er sah mich ernst, fast traurig an.

»Was soll das heißen, ich brauche nicht zu verreisen?«

Ich zog an der Zigarette und rauchte eine Weile still.

»Das soll heißen, niemand sucht Sie wegen dem Mord an Ihrem Schwager!«

Er beugte sich vor und nahm sein Gesicht in die Hände. Ich sah nur noch die schwarzen, glänzenden Haare.

Ich rauchte drei Zigaretten, bis er seinen Kopf wieder hob.

»Woher wissen Sie...?«

»Das Messer. Nur ein Amateur benutzt ein Messer. Ich habe nie nachgefragt, aber ich nehme an, es war ein Küchenmesser.«

»Ja.«

»Sie hatten Ahmed Hamul noch nie leiden können, nicht wahr? Ihr Vater hat ihn Ihnen vorgezogen, Sie waren immer nur zweite Wahl. Sie mußten sich mit der Mutter zufriedengeben.«

»Hören Sie auf!«

»Tut mir leid. Wahrscheinlich glaubten Sie, Ahmed Hamul hätte Ihren Vater in den Drogenhandel hineingezogen. In Wahrheit wurde Ihr Vater dazu erpreßt. So begann das Unglück. Erst später hat er Ahmed den Einstieg ins Geschäft vermittelt. Drei Jahre lang stauten sich in Ihnen Wut und Trauer über die kaputten Familienverhältnisse. Der Schuldige war, klar, Ahmed Hamul. Als Ihr Vater tot war, hatten Sie sicher mit dem Gedanken gespielt, ihn aus der Familie rauszuschmeißen. Aber da er kaum noch nachhause kam, ließen Sie das mit Rücksicht auf Ihre Schwester. Auf Ihre Schwester Ilter, denn wegen Ayse haben Sie ihn zuletzt umgebracht. Daß Ahmed Ayse vom Heroin abhängig gemacht hat, konnten Sie ihm nicht verzeihen. Wahrscheinlich bestand seit diesem Tag die Idee, ihn zu töten. Je mehr Zeit verging, desto unausweichlicher wurde diese Lösung für Sie. Und tatsächlich, alle Probleme schienen damit vom Tisch. Die Eifersucht der ganzen Jahre wäre gerächt, und Ihre Familie hätte endlich in Ruhe leben können. Durch die Sucht Ihrer Schwester Ayse war die Tat moralisch gerechtfertigt. Also wurde die phantastische Idee zu einem Plan, zu einer Aufgabe. Zur Rettung der Familie.«

Yilmaz Ergün saß zusammengekrümmt auf dem Bett. Regungslos. Ich wußte nicht, ob er mir überhaupt noch zuhörte.

»Sie sind kein guter Mörder, erst recht kein Profi. Sie haben zwei dumme Fehler gemacht. Erstens kein Alibi. Von Ihrer Schwester Ilter weiß ich, Ihre Arbeitszeit endet kurz vor sechs, normalerweise sind Sie um sechs Uhr zuhause. Wie Sie die Nummer von Hanna Hecht rausbekommen haben, keine Ahnung, aber...«

»Ich bin ihm einmal gefolgt und habe den Namen an der Tür gelesen. Dann aus dem Telefonbuch.«

»Ah ja, auf jeden Fall haben Sie ihn am fünften achten dort angerufen und zu einem Gespräch in die Nähe bestellt. Direkt nach Ihrer Arbeit. Wenn man Sie fragen würde, könnten Sie wahrscheinlich nicht einmal beantworten, wo Sie sich um diese Zeit aufgehalten haben, nicht wahr?« Er nickte.

»Der zweite Fehler: Wenn man in einer Großküche arbeitet, nimmt man nicht das nächstbeste Schinkenmesser, um damit seinen Schwager umzubringen.«

Ich machte eine Pause. Er bewegte sich immer noch nicht.

»Wenn Ihnen jemand auf die Spur gekommen wäre, oder der Kommissar, der den Fall bearbeitet hat, nicht zufällig der Mörder Ihres Vaters wäre – der voraussichtlich auch den Mord an Ahmed in die Schuhe geschoben bekommt –, dann säßen Sie jetzt im Gefängnis.«

Er starrte mich mit großen Augen an.

»Der Mörder meines Vaters, aber...«

»Das ist eine andere Geschichte, lassen Sie sie sich von Ilter erzählen. Ich bin müde.«

Ich stand auf und ging zur Tür.

»Wissen Sie eigentlich, daß Ahmed aussteigen wollte? Als Sie ihm das Messer in den Rücken gesteckt haben, war er dabei, ein Haus in Norddeutschland abzubezahlen. Dort wäre er mit Ihrer Familie in ein paar Monaten hingezogen. Einen Therapieplatz hatte er für Ayse auch schon gefunden. Sie hätten ihn fragen sollen, was er in nächster Zeit vorhat. Sie hätten mit ihm reden können. Sie hätten sich den Mord sparen können!«

Wir sahen uns eine Weile in die Augen. Mir schien es eine Ewigkeit zu sein.

»Und wissen Sie, weshalb ich Sie nicht zur Polizei bringe?«

Er schüttelte traurig den Kopf.

»Weil Sie damit ein Leben lang zu kämpfen haben werden. Es ist kein gutes Gefühl, ein Mörder zu sein, um so mehr, wenn der Mord sinnlos war. Falls es Sie beruhigt, niemand außer mir weiß es.«

Ich tippte mir an den Kopf.

»Machen Sie es gut, Herr Ergün. Schöne Tage in Istanbul.«

Ich zog die Tür leise zu und schlich durch den stillen Flur aus der Wohnung. Das Treppenhaus war düster und noch vom Tag mit Hitze aufgeladen. Ich steckte mir eine Zigarette an. Während ich die Stufen hinunterstieg, drang aus einer Wohnung ein sanftes Jazz-Saxophon. Ich dachte an ein Mädchen, das ich vor langer Zeit gekannt hatte.

Dann kaufte ich bei Madame Obelix eine Flasche Chivas und ging durch die Nacht nach Hause.

Jakob Arjouni
im Diogenes Verlag

Happy birthday, Türke!
Ein Kayankaya-Roman

»Privatdetektiv Kemal Kayankaya ist der deutsch-türkische Doppelgänger von Phil Marlowe, dem großen Kollegen von der Westcoast. Nur weniger elegisch und immerhin so genial abgemalt, daß man kaum aufhören kann zu lesen, bis man endlich weiß, wer nun wen erstochen hat und warum und überhaupt.
Daß *Happy birthday, Türke!* trotzdem mehr ist als ein Remake, liegt nicht nur am eindeutig hessischen Großstadtmilieu, sondern auch an den bunteren Bildern, den ganz eigenen Gedankensaltos und der Besonderheit der Geschichte. Wer nur nachschreibt, kann nicht so spannend und prall erzählen.«
Hamburger Rundschau

»Jakob Arjouni ist eine Entdeckung. In seinen Texten ist nicht ein Tropfen Moralin, er erzählt einfach, was passiert, Geschichten, wie sie das Leben schreibt, und so gut wie nie mit dem üblichen Happy-End. Auch erzählt er seine Geschichten so gut, mit äußerst wendigen Dialogen und geschickt gehaltener Spannung, daß man seine Bücher nicht mehr aus der Hand legen kann.«
Manuel Vázquez Montalbán / El País, Madrid

Mehr Bier
Ein Kayankaya-Roman

Vier Mitglieder der ›Ökologischen Front‹ sind wegen Mordes an dem Vorstandsvorsitzenden der ›Rheinmainfarben-Werke‹ angeklagt. Zwar geben die vier zu, in der fraglichen Nacht einen Sprengstoffanschlag verübt zu haben, sie bestreiten aber jede Verbindung mit dem Mord. Nach Zeugenaussagen waren an dem Anschlag fünf Personen beteiligt, doch von dem fünften Mann fehlt jede Spur. Der Verteidiger der Angeklagten beauftragt den Privatdetektiv Kemal Kayankaya mit der Suche nach dem fünften Mann…

»Verglichen wurde Jakob Arjouni bereits mit Raymond Chandler und Dashiell Hammett, den verehrungswürdigsten Autoren dieses Genres. Zu Recht. Arjouni hat Geschichten von Mord und Totschlag zu erzählen, aber auch von deren Ursachen, der Korruption durch Macht und Geld, und er tut dies knapp, amüsant und mit bösem Witz. Seine auf das Nötigste abgemagerten Sätze fassen viel von dieser schmutzigen Wirklichkeit.«
Klaus Siblewski / Neue Zürcher Zeitung

Ein Mann, ein Mord
Ein Kayankaya-Roman

Ein neuer Fall für Kayankaya. Schauplatz Frankfurt, genauer: der Kiez mit seinen eigenen Gesetzen, die feinen Wohngegenden im Taunus, der Flughafen. Kayankaya sucht ein Mädchen aus Thailand. Sie ist in jenem gesetzlosen Raum verschwunden, in dem Flüchtlinge, die um Asyl nachsuchen, unbemerkt und ohne Spuren zu hinterlassen, leicht verschwinden können. Was Kayankaya dabei über den Weg und in die Quere läuft, von den heimlichen Herren Frankfurts über korrupte Bullen und fremdenfeindliche Beamte auf den Ausländerbehörden bis zu Parteigängern der Republikaner mit ihrer Hetze gegen alles Fremde und Andere, erzählt Arjouni klar, ohne Sentimentalität, witzig, souverän.

»Jakob Arjouni schreibt die besten Großstadtthriller seit Chandler. Ein großer, fantastischer Schriftsteller. Er ist einer, der sich mühelos über den schnöden Realismus normaler Krimiautoren hinwegsetzt, denn es zählen bei ihm nie allein Indizien, Konflikte und Fakten, sondern vielmehr sein skeptisch heiteres Menschbild. Arjouni ist es in *Ein Mann, ein Mord* endgültig gelungen, mit seinem Privatdetektiv Kayankaya eine literarische Figur zu erschaffen, die man nie mehr vergißt.« *Maxim Biller/Tempo, Hamburg*

Edelmanns Tochter
Theaterstück

Ein Bahnhof im wiedervereinigten Deutschland. Hinz und seine Tochter Ruth sitzen im Hinterzimmer des Bahnhofrestaurants und warten. Nach vier Jahrzehnten kann der Vater sich nicht länger den drängenden Fragen und Ahnungen seiner Tochter entziehen. Im Kampf um eine neue Identität, die es ihm leichter machen soll, Schuld und Schicksal zu verdrängen, hat sich der Alte tief in ein Knäuel aus Lebenslüge, Leere, Hilflosigkeit und Selbstvorwürfen verstrickt.
Ein Stück über gegenseitige Achtung, über eine Vater-Tochter-Beziehung und die Frage nach den Grenzen von statthafter Einflußnahme. Jakob Arjouni ergreift nicht Partei, er beobachtet Menschen und keine literarischen Modelle. Ohne ausführliche Erörterungen, in prägnanten Sätzen, befaßt sich der junge Autor mit dem Phänomen Deutschland: Schuld und Vergangenheit, das Dritte Reich, die Wiedervereinigung und die Tatsache, daß noch gar nichts erledigt ist...

»Arjouni weiß als Dramatiker genauso wie als Krimiautor, wie er Spannung erzielt, ohne platt zu wirken.« *Christian Peiseler/Rheinische Post, Düsseldorf*

Magic Hoffmann
Roman

Unlarmoyant, treffsicher und leichtfüßig zeichnet Jakob Arjouni ein Bild der Republik: ein Entwicklungsroman in der Tonlage des Road Movie. Ein Buch voller Spannung und Ironie über einen, der versucht, sich nicht unterkriegen zu lassen, nicht von diesem Land und nicht von seinen besten Freunden.

»Und alle Leser lieben Hoffmann: Jakob Arjouni schreibt einen Roman über die vereinte Hauptstadt, einen Roman über die Treue zu sich selbst, über gebrochene Versprechen, gewandelte Werte, verlorene Freundschaften und die Übermacht der Zeit. Ein literarischer Genuß: spannend, tragikomisch und voller Tempo.«
Harald Jähner/Frankfurter Allgemeine Zeitung

Ein Freund
Geschichten

Ein Jugendfreund für sechshundert Mark, ein Killer ohne Perspektive, eine Geisel im Glück, eine Suppe für Hermann und ein Jude für Jutta, zwei Maschinengewehre und ein Granatwerfer gegen den Papst, ein letzter Plan für erste Ängste.
Geschichten von Hoffen und Bangen, Lieben und Versieben, von zweifelhaften Triumphen und zweifelsfreiem Scheitern, von grauen Ein- und verklärten Aussichten. So ironisch wie ernst, so traurig wie heiter, so lustig wie trocken erzählt Arjouni davon, wie im Leben vieles möglich scheint und wie wenig davon klappt.

»Sechs Stories von armseligen Gewinnern und würdevollen Verlierern, windigen Studienräten und aufgeblasenen Kulturfuzzis. Typen also, wie sie mitten unter uns leben. Seite um Seite zeigt der Chronist des nicht immer witzigen deutschen Alltags, was ein Erzähler heute haben muß, um das Publikum nachdenklich zu stimmen und gleichzeitig zu unterhalten: Formulierungswitz, Einfallsreichtum, scharfe Beobachtungsgabe. Und wie der Mann Dialoge schreiben kann!« *Hajo Steinert/Focus, München*

Kismet

Ein Kayankaya-Roman

Mit einem Freundschaftsdienst fängt alles an. Eigentlich wollen Kayankaya und Slibulsky dem Gastwirt Romario nur helfen, zwei Schutzgelderpresser zu vertreiben. Doch dann liegen auf einmal zwei merkwürdig weiß gepuderte Leichen in Romarios Restaurant. Die Toten lassen Kayankaya keine Ruhe, und er macht sich auf die Suche nach ihrer Identität – bis er selbst gesucht wird. Von einer Mafia, von der niemand weiß, woher sie kommt und wer ihr Chef ist. Sicher ist nur, daß es sich um die brutalste und kompromißloseste Gangstertruppe handelt, die sich über das Frankfurter Bahnhofsviertel je hergemacht hat. Und schließlich bekommt Kayankaya noch einen richtigen, das heißt: bezahlten Auftrag. Er soll eine Frau finden, die er in einem Videofilm sieht. Und die ihn, wie er glaubt, vom Bildschirm aus anblickt.
Kismet handelt von organisiertem Verbrechen und Kriegsgewinnlern, vom Unsinn des Nationalismus und vom Wahnsinn des Jugoslawienkriegs, von Heimat im besten wie im schlechtesten Sinne. Und von der Sehnsucht nach einer großen Liebe.

»Hier ist endlich ein Autor, der spürt, daß man sich nicht länger um das herumdrücken darf, was man gern die ›großen Themen‹ nennt. Hier genießt man den Ton, der die Geradlinigkeit, Schnoddrigkeit und den Rhythmus des Krimis in die hohe Literatur hinübergerettet hat.«
Florian Illies/Frankfurter Allgemeine Zeitung

Kurt Lanthaler
im Diogenes Verlag

»Lanthaler gräbt tiefer und gerät damit an die Wurzeln der Übel. Er erzählt genau und dabei spannend, er erzählt witzig, ohne Souveränität und Wahrheitsgehalt einzubüßen. Er erzählt so, daß jemand, der in zweihundert Jahren Genaueres von unserem heutigen Tun und Lassen wissen wollte, mit einem Buch von ihm bestens bedient wäre.«
Österreichischer Rundfunk, Wien

»Die Alternative zum gängigen Asphalt-Krimi.«
News, Wien

»Genaue Milieuschilderungen, feine Gedankenspiele, sauber durchgestaltete Dramaturgie.«
Buchkultur, Wien

»Tschonnie Tschenett ist ›hard-boiled‹, als wäre er mit Mike Hammer in Manhattan groß geworden.«
Hannoversche Allgemeine Zeitung

Der Tote im Fels
Ein Tschonnie-Tschenett-Roman

Grobes Foul
Ein Tschonnie-Tschenett-Roman

Herzsprung
Ein Tschonnie-Tschenett-Roman

Azzurro
Ein Tschonnie-Tschenett-Roman